KEEL / SCHROER

STUDIEN ZU DEN STEMPELSIEGELN
AUS PALÄSTINA / ISRAEL

ORBIS BIBLICUS ET ORIENTALIS

Im Auftrag des Biblischen Instituts der Universität
Freiburg Schweiz
des Seminars für biblische Zeitgeschichte
der Universität Münster i. W.
und der Schweizerischen Gesellschaft
für orientalische Altertumswissenschaft
herausgegeben von
Othmar Keel,
unter Mitarbeit von Erich Zenger und Albert de Pury

Zum Autor und zur Autorin:

Othmar Keel (1937) studierte Theologie, Exegese und altorientalische Religions-
und Kunstgeschichte in Zürich, Freiburg i. Ue., Rom, Jerusalem und Chicago. Er
ist seit 1969 Professor für Exegese des Alten Testaments und für Biblische Umwelt
an der Theologischen Fakultät der Universität Freiburg i. Ue. Seine wichtigsten
Buchveröffentlichungen sind: Die Welt der altorientalischen Bildsymbolik und das
Alte Testament. Am Beispiel der Psalmen (Zürich/Neukirchen 1972, ⁴1984;
englisch 1978; holländisch 1984); Jahwe-Visionen und Siegelkunst (Stuttgart
1977); Jahwes Entgegnung an Ijob (Göttingen 1978); Deine Blicke sind Tauben.
Studien zur Metaphorik des Hohen Liedes (Stuttgart 1984); zusammen mit
M. Küchler ist er Autor und Herausgeber von: Orte und Landschaften der Bibel.
Ein Handbuch und Studienreiseführer zum Heiligen Land. 1. Band: Geographisch-geschichtliche Landeskunde (Zürich/Göttingen 1984); 2. Band: Der Süden
(ebenda 1982).

Silvia Schroer (1958) studierte katholische Theologie, Altphilologie und Pädagogik
in Münster (Westfalen), München und Freiburg (Schweiz). Seit 1983 ist sie wissenschaftliche Mitarbeiterin am Lehrstuhl für Neues Testament der Universität
Freiburg (Schweiz) und arbeitet an einer Dissertation mit dem Arbeitstitel «Alttestamentliche Nachrichten von Großbildkunst in Israel/Palästina» bei Othmar
Keel.

ORBIS BIBLICUS ET ORIENTALIS 67

OTHMAR KEEL / SILVIA SCHROER

STUDIEN ZU DEN STEMPELSIEGELN AUS PALÄSTINA / ISRAEL

Band I

UNIVERSITÄTSVERLAG FREIBURG SCHWEIZ
VANDENHOECK & RUPRECHT GÖTTINGEN
1985

CIP-Kurztitelaufnahme der Deutschen Bibliothek

Keel, Othmar / Schroer, Silvia:

Studien zu den Stempelsiegeln aus Palästina/Israel
Othmar Keel / Silvia Schroer.
Freiburg (Schweiz): Universitätsverlag
Göttingen: Vandenhoeck und Ruprecht, 1985.

  (Orbis biblicus et orientalis; 67, Bd. I)
  ISBN 3–7278–0336-3 (Universitätsverlag)
  ISBN 3–525–53690-9 (Vandenhoeck und Ruprecht)
  NE: Keel, Othmar (Mitverf.); Schroer, Silvia
  (Mitverf.); GT

Veröffentlicht mit Unterstützung des Hochschulrates
der Universität Freiburg Schweiz

INHALTSVERZEICHNIS

OTHMAR KEEL

BILDTRAEGER AUS PALAESTINA/ISRAEL
UND DIE
BESONDERE BEDEUTUNG DER MINIATURKUNST

1981 hat der "Schweizerische Nationalfonds zur Förderung der wissenschaftlichen Forschung" die Unterstützung eines Projektes beschlossen, das den Titel trug "Sammlung und Auswertung der in Palästina/ Israel bei regulären Grabungen gefundenen Stempelsiegel als Elemente einer palästinisch/israelitischen Religionsgeschichte". Im Rahmen dieses Projekts hoffen wir in ca. 3 Jahren einen Katalog aller erreichbaren Stempelsiegel dieser Kategorie aus Cisjordanien von den Anfängen bis zum Ende der Eisenzeit (586 v.Chr.) veröffentlichen zu können. An diesem Projekt haben bisher vor allem Dr. B. JAEGER, Dr. K. JAROŠ und der Verfasser gearbeitet (vgl. weiter unten Abschnitt V). Parallel zu dieser Arbeit und vor allem dann im Anschluss an sie, sollen eine Reihe von Einzelstudien zu wichtigen Motiven und Motivkombinationen der palästinisch/israelitischen Stempelsiegel erscheinen.

Die vorliegende Arbeit von Frau SCHROER stellt die erste solche Studie dar. Diese und ähnliche geplante Studien sind als Vorarbeiten zu einer systematischen Darstellung der Ikonographie der Stempelsiegel aus Palästina/Israel zu verstehen. Es ist der Fähigkeit, sich sehr schnell in ein neues Gebiet einarbeiten zu können, dem Arbeitseifer und der Kooperationsfreudigkeit von Frau SCHROER zu verdanken, dass neben der entbehrungsreichen Arbeit des Datensammelns, des Karteikartenausfüllens, des Anmahnens von Photos und anderen Unterlagen bei Hunderten von Museen und Archäologen gleichzeitig eine Studie zustande gekommen ist, die zeigt, in welchem Masse dieses Projekt unsere Kenntnisse und unser Bild des alten Palästina/Israel erweitern und bereichern kann.

Bei der Abfassung des Beitrags "Bildträger aus Palästina/Israel und die besondere Bedeutung der Miniaturkunst", die als eine Art Einleitung zu den genannten Vorarbeiten gedacht ist, durfte ich die effiziente Hilfe von Herr und Frau Prof. Dr. M. und H. WEIPPERT, Heidelberg, in Anspruch nehmen. Ihre detaillierten Kenntnisse, besonders auch des jordanischen Materials, haben wertvolle Ergänzungen gebracht. A. LEMAIRE, Paris, hat mit seinen Hinweisen das Gewicht der Anm. 80 wesentlich vergrössert. Endlich haben S. SCHROER und CH. UEHLINGER, beide Freiburg, generös Zeit eingesetzt, um letzte Lücken zu füllen und Unebenheiten des Textes zu glätten. Die Offsetvorlagen hat in gewohnt kompetenter Weise Frau B. SCHACHER geschrieben. Allen Genannten gilt mein Dank.

I.

Spätestens seit der Renaissance hat man, um die biblische Zivilisation und Vorstellungswelt besser verstehen zu können, Werke der den biblischen Texten zeitgenössischen Bildkunst beigezogen. Anfänglich standen dafür nur wenige Bildträger zur Verfügung (jüdische Münzen, die Reliefs des Titusbogens). Mit der Wiederentdeckung der alten Hochkulturen Mesopotamiens und Aegyptens im 19. Jahrh. hat sich dieses Material schlagartig tausendfach vermehrt, und führende Pioniere wie J.G. WILKINSON und A.H. LAYARD (vgl. die Anm. 137 und 138) haben biblische Texte benützt, um ihre Funde zu interpretieren bzw. von ihren Funden Licht auf biblische Texte fallen lassen. Mit den Grabungen, die CH. WARREN 1864-1867 in Jerusalem und W.M.F. PETRIE 1890 auf dem Tell el-Ḥasi durchführten, begann für Palästina die methodische Erforschung seiner Altertümer. Neben topographischen, historischen und zivilisationsgeschichtlichen Problemen fanden aber religions- und vorstellungsgeschichtliche Fragen, zu deren Lösung vor allem die Bildkunst viel hätte beitragen können, meist nur geringes Interesse. Einzig zur Blütezeit der religionsgeschichtlichen Schule wurde das damals bekannte Material systematisch zu einer Darstellung der Religion des alten Palästina beigezogen (1). Ich versuchte dann mit meinem Buch "Die Welt der alt-

---

1 Vgl. vor allem : H.GRESSMANN, Altorientalische Texte und Bilder zum Alten Testament. 2. Band : Bilder, Tübingen 1909; 2. völlig neugestaltete und stark vermehrte Auflage, Berlin und Leipzig 1927; S.A.COOK, The Religion of Ancient Palestine in the Light of Archaeology. The Schweich Lectures of the British Academy 1925, London 1930, Nachdruck München 1980; COOK sah sich allerdings noch zur Bemerkung veranlasst : "Often enough it is outside Palestine that we have to look for illustrations to the Bible, e.g. the overshadowing wings of the god, the meal 'before the god', the enemy as ones 'footstool'" und umgekehrt "the archaeology of Palestine and of its immediate neighbours often leads us outside Biblical evidence" (Ebd. 2f). Eine gewisse Inkongruenz ist zu erwarten und wird auch bleiben. Aber neue Materialfunde, bessere Bearbeitung des Materials und sachgemässere Auslegungen der Texte haben sie doch vermindert.

orientalischen Bildsymbolik und das Alte Testament. Am Beispiel der Psalmen" (2) an diese Tradition anzuknüpfen (3). Dazu benützte ich hauptsächlich die grossen Werke der Bildkunst der altorientalischen Hochkulturen. Dieses Vorgehen musste den Einwand provozieren, durch die Verwendung der ägyptischen oder vorderasiatischen Ikonographie als Bezugshorizont biblischer Texte würden diese verfremdet.

Nun waren Aegypten und die Reiche Syriens und Mesopotamiens zweifellos mächtige und einflussreiche Nachbarn, denen sich das kleine Israel zu keiner Zeit und auf keinem Gebiet ganz entziehen konnte. Dass ihre Vorstellungen und Ikone auf die Vorstellungswelt Israels eingewirkt haben, ist a priori wahrscheinlich. Die Wahrscheinlichkeit wird aber desto leichter zur Gewissheit, je öfter es gelingt, Vorstellungen — Motive und Motivkonstellationen — der altorientalischen Kunst nicht nur in biblischen Texte, sondern zuerst in Form von Bildkunst auf dem Boden Palästina/Israels nachzuweisen. Dabei kann man selbstverständlich nicht erwarten, in dem kleinen, armen immer wieder von Kriegsheeren verwüsteten Land (4) ähnlich monumentale und gut erhaltene Denkmäler zu finden wie in den reichen Ländern der alten Hochkulturen Aegyptens, Mesopotamiens, Anatoliens oder Syriens. Aber von Gross- und teilweise sogar Monumentalkunst legen eine Anzahl literarischer Nachrichten Zeugnis ab (5); und die seit WARREN und PETRIE sehr zahlreich durchgeführten Ausgrabungen (6) haben unter dem Einsatz einer Unmenge von Zeit, Geld und Schweiss einzelne Grosskunstwerke und Fragmente von solchen, vor allem aber eine unübersehbare Menge an Klein- und Miniatur-

---

2   Zürich/Neukirchen 1972, 4/1984; englisch : New York 1978; holländisch : Kampen 1984; vgl. auch O.KEEL, Wirkmächtige Siegeszeichen im Alten Testament. Ikonographische Studien zu Jos 8,18-26; Ex 17,8-13; 2 Kön 13,14-19 und 1 Kön 22,11 (Orbis Biblicus et Orientalis 5) Freiburg/Schweiz — Göttingen 1974; DERS., Die Weisheit spielt vor Gott. Ein ikonographischer Beitrag zur Deutung des *m.sahäqät* in Sprüche 8,30f., Freiburg/Schweiz — Göttingen 1974; DERS., Vögel als Boten, Studien zu Ps 68,12-14; Gen 8,6-12, Koh 10,20 und dem Aussenden von Botenvögeln in Aegypten. Mit einem Beitrag von U.WINTER zu Ps 56,1 und zur Ikonographie der Göttin mit der Taube (Orbis Biblicus et Orientalis 14) Freiburg/Schweiz — Göttingen 1977.

3   Ich hoffe, in absehbarer Zeit eine kleine "Geschichte der Interpretation alttestamentlicher Texte mit Hilfe altorientalischer Bilder" vorlegen zu können.

4   Vgl. dazu O.KEEL/M.KUECHLER/CH.UEHLINGER, Orte und Landschaften der Bibel. Ein Handbuch und Studienreiseführer Bd.1 : Geographisch-geschichtliche Landeskunde, Zürich/Göttingen 1984, 182-205.

5   SILVIA SCHROER (vgl. den folgenden Beitrag) arbeitet zur Zeit unter Leitung des Verfassers an einer Dissertation mit dem Arbeitstitel "Alttestamentliche Nachrichten von Grossbildkunst in Israel".

6   Vgl. M.AVI-YONAH/E.STERN, Encyclopedia of Archaeological Excavations in the Holy Land, 4 Bde., Oxford/Jerusalem 1975-1978; eine zweite stark ergänzte und erweiterte Auflage ist in Vorbereitung.

kunst ans Licht gebracht. Dabei ist das Vorhandensein von Motiven und Motivkonstellationen auf Miniaturbildträgern ebenso signifikant wie das auf der stärker traditionellen Grosskunst (7). So sind z.B. Bildmotive auf Amulettanhängern und Siegeln aller Art in der Regel empfindsamere Seismographen als Werke der meist stärker konventionalisierten Tempel- oder Palastdekoration. Sie zeigen vorstellungsgeschichtliche Wandlungen schneller und genauer an als die normalerweise mehr dem Herkömmlichen verhaftete offizielle Kunst.

Von den ganzen in Palästina ausgegrabenen Bildträgern ist einiges sorgfältig, vieles eher summarisch und manches überhaupt nicht publiziert worden, so z.B. das Material der grossen, amerikanischen Grabungen von Dotan, die in den Jahren 1953-1960 stattgefunden haben. Noch viel seltener als die sorgfältige Publikation der Funde bestimmter Ausgrabungen sind Arbeiten, die bestimmte Arten von Bildträgern oder bestimmte Motive oder Motivkonstellationen systematisch darstellen. Das fast totale Fehlen solcher Arbeiten für Palästina/Israel hat das Vorurteil der Exegeten bestärkt, das Palästina der Bronze- oder mindestens das der Eisenzeit habe keinerlei Bildkunst aufzuweisen gehabt. Jedoch sind in Palästina/ Israel eine grosse Zahl von Denkmälergattungen vertreten, wenn auch häufig nur Fragmente auf ihre einstige Existenz hinweisen. Fragmente aber genügen als Nachweis dafür, dass eine Denkmälergattung samt bestimmten Motiven und Motivkombinationen und den damit verbundenen Vorstellungen in Palästina/Israel bekannt waren. Die folgende kleine Uebersicht, die keinerlei Anspruch auf Vollständigkeit beanspruchen will, mag die Vielzahl der für das Palästina/Israel der Bronze- und Eisenzeit (7a) nachgewiesenen Bildträger dokumentieren.

II.

An **Steinskulpturen** sind hauptsächlich aus der Mittleren Bronzezeit ägyptische Beamtenstatuetten und Fragmente von solchen gefunden worden (8). In der Spätbronzezeit bzw. im Neuen Reich gabe es in Palästina/Israel auch ägyptische Königsstatuen (9). In Hazor sind in spät-

7 Vgl. O.KEEL, Grundsätzliches und das Neumondemblem zwischen den Bäumen, in : Biblische Notizen 6 (1978) 40-54, besonders S. 49f.; vgl. weiter unten Anm. 49.
7a Für die Perserzeit gibt es die schöne Arbeit von E.STERN, Material Culture of the Land of the Bible in the Persian Period 538-332 B.C., Warminster/Jerusalem 1982.
8 GIVEON 1978 : 28,30; vgl. auch ROWE 1936 : 91.
9 ROWE 1930 : 36,38 und Pl. 50,1; Pl. 51; vgl. Y.YADIN 1961 : Pl. 323, 4-6.

bronzezeitlichen Schichten vier männliche Sitzstatuen aus Basalt zutage gekommen, die im Gegensatz zu den vorgenannten ägyptischen Stücken vorderasiatische Tradition repräsentieren (10). Vorderasiatisch sind auch die Fragmente der Statue eines Gottes, der auf einem Stier steht (11), sowie der grosse und der kleine Löwenorthostat und das Fragment eines dritten (12). Löwenorthostaten an den Eingängen von Tempeln, Palästen oder Gräbern waren in der judäischen Provinz noch im 9./8. Jahrh.v.Chr. gebräuchlich (13). Nicht weniger als 24 Steinplastiken bzw. Fragmente von solchen hat A. ABOU ASSAF aus dem Bereich des alten Ammon publiziert. Die aus dem 8.-6. Jahrh.v.Chr. stammenden Bildwerke stellen anscheinend den Gott Milkom, den König und nicht näher spezifizierbare Männer und Frauen bzw. Frauenköpfe dar (14).

Die **Metallfiguren** aus der Bronze- und Eisenzeit sind zusammen mit andern **Metallarbeiten,** die anthropomorphe Gottheiten darstellen, von O. NEGBI gesammelt und bearbeitet worden (15). Der bedeutendste Fund, der seit dieser wichtigen Publikation gemacht wurde, ist die Goldfolie aus Lachisch, die die Göttin Qudschu — statt wie üblich auf dem Löwen — auf einem Kriegspferd stehend zeigt (16). Ihrer Zielsetzung entsprechend hat O. NEGBI andere Metallarbeiten, die etwa gewöhnliche Sterbliche oder Tiere darstellen, nicht aufgenommen : Das gilt z.B. für die bekannte Stierfigurine aus Hazor (17). Hinzuweisen wäre auch auf die

10   Y.YADIN 1960 : Pl. 197; DERS. 1961 : Pl. 326f., 330; 1972 : Pl. 21a.
11   Y.YADIN 1961 : Pl. 324f.
12   YADIN 1958 : Pl. 30; DERS. 1961 : Pl. 328f.; DERS. 1972 : Pl. 18; zu einem grossen, 2,19 m langen Torlöwen aus Basalt der bei Schech Sa'im im Hauran gefunden worden ist, vgl. G.SCHUMACHER, Unsere Arbeiten im Ostjordanlande, in : Zeitschrift des Deutschen Palästinavereins 37 (1914) 127f. und Taf. 37; GRESSMANN 1927 : Abb.399.
13   R.AMIRAN, The Lion Statue and the Libation Tray from Tell Beit Mirsim, in : Bulletin of the American School of Oriental Research 222 (1976) 29-40; D. USSISHKIN, Tombs from the Israelite Period of Tel 'Eton, in : Tel Aviv 1 (1974) 109-114, bes. S. 112-114 und 125f. Zu letzteren bemerkt Frau Dr. H. WEIPPERT (Heidelberg) brieflich : "Die 'Löwen' im Grab von 'Etun halte ich inzwischen wegen ihrer Blickrichtung in die Grabkammer, auf die Grablege für Dämonendarstellungen, die nicht das Grab bewachen, um die Toten zu beschützen, sondern die die Toten am Verlassen des Grabes hindern sollen, also die Lebenden vor den Verstorbenen schützen".
14   A.ABOU ASSAF, Untersuchungen zur ammonitischen Rundbildkunst, in : Ugarit Forschungen 12 (1980) 7-102; zu den Frauenköpfen vgl. WINTER 1983 : 300.
15   NEGBI 1976; vgl. H. SEEDEN, The Standing Armed Figurines in the Levant (Prähistorische Bronzefunde I/1) München 1980; P.R.S.MOOREY/S.FLEMING, Problems in the Study of the Anthropomophic Metal Statuary from Syro-Palestine before 330 B.C., in : Levant 16 (1984) 67-90.
16   CH.CLAMER, A Gold Plaque from Tel Lachish, in : Tel Aviv 7 (1980) 152-162; zur Göttin auf dem Pferd vgl. das in Anm. 28 genannte Model.
17   YADIN 1961 : Pl. 341; JAROŠ 1982 : 212-221.

erst kürzlich entdeckte, relativ grosse (17,5 cm lange) Stierfigur aus Bronze, die von einer wahrscheinlich israelitischen Kulthöhe des 12. Jahrhunderts v.Chr. aus der Gegend von Samaria stammt (17a) oder die bekannten Bronzeschlänglein aus Timna bei Elat, Geser, Megiddo, Hazor und vom Tell Mevorach (18) oder kleine Bronzefiguren von Tieren, die vielleicht als Gewichte dienten, wie den Bären vom Tell Fara' (Süd), der ein Bündel Aeste trägt (19), den liegenden Löwen aus Arad (20) und die liegende Capride aus Megiddo (21) und die fressenden Affen aus Megiddo und Taanach (21a).

Neben "kanaanäischen" Bronzen sind in Palästina/Israel auch immer wieder einmal ägyptische aufgetaucht (22). Auf eine solche weist z.B. eine Statuenbasis Ramses' VI. aus Megiddo hin (23). In Jesreel wurde eine katzenköpfige Bastet (24), in Gibeon ein Osiris (25) und in Beerscheba eine Neith und ein Apisstier (26) ausgegraben. In einer zufällig entdeckten Werkstatt in Aschkelon wurden 26 ägyptische Bronzefiguren gefunden (7 Osiris-Statuetten, 2 Figuren der Isis mit Kind, 7 Harpokrates, 1 Anubis, 1 Bastet, 1 schlangenköpfige Gottheit, 1 Sonnengott, wahrscheinlich Amun-Re, 2 Priester, 3 Apisstiere und 1 Ibis). In der gleichen Werkstatt gab es 7 Bronzen vorderasiatischer Tradition (2 anthropomorphe und 5 Tier-Figuren). Die Werkstatt ist aufgrund der Strati-

17a A.MAZAR, The "Bull Site". An Iron Age I Open Cult Place, in : Bulletin of the American School of Oriental Research 247 (1982) 27-42; DERS., A Cultic Site from the Period of the Judges in the Northern Samaria Hills, in : Eretz Israel 16 (1982) 135-145 und Pl. 15-17; DERS., Bronze Bull Found in Israelite 'High Place' from the Time of the Judges, in : Biblical Archaeology Review 9 (Sept./Oct. 1983) 34-40.

18 KEEL 1977 : 81; JAROŠ 1982 : 159.

19 F.PETRIE, Beth Pelet (Tell Fara) I (Egyptian Research Account 98) London 1930, 14 und Pl. 43, 546.

20 M.AVI-YONAH (Hrsg.), Encyclopedia of Archaeological Excavations in the Holy Land I, London 1975, 84.

21 Y.YADIN, Hazor. The Rediscovery of a great Citadel of the Bible, Jerusalem 1975, 224f.

21a Ebd. und P.W.LAPP' Taanach by the Waters of Megiddo, in : Biblical Archaeologist 30 (1967) 26f. und Abb.14 = M. AVI-YONAH/E.STERN (Hrsg.), Encyclopedia of Archaeological Excavations in the Holy Land IV, Oxford 1978, 1145; eine Liste von Tierfigurinen aus Bronze, die in Israel gefunden und als Gewichte interpretiert worden sind, findet sich bei S.BEN-ARIEH/G.EDELSTEIN, Akko Tombs Near the Persian Garden ('Atiqot. English Series 12) Jerusalem 1977, 57 Anm. 34; vgl. auch den 2. Teil der Anm. 126.

22 Aegyptisch könnten auch die in Anm. 21 genannten Tierfiguren aus Megiddo sein.

23 LOUD 1948 : 135f. und Fig. 374f.; PORTER/MOSS 1952 : 381.

24 N.ZORI, The Land of Issachar, Jerusalem 1977, 21 und Pl. 9,1 (Hebr); jetzt im Museum in En Harod.

25 J.B.PRITCHARD, Winery, Defenses and Soundings at Gibeon, Philadelphia 1964, Fig. 50,1.

26 R.GIVEON, in Y.AHARONI, Beer-Sheba I. Excavations at Tel Beer-Sheba 1969-1971 Seasons, Tel Aviv 1973, 54f. und Pl. 22.

graphie ins 5. oder 4. Jahrh. zu datieren (27). Wandernde Handwerker oder feste Werkstätten, die mit ägyptischen und vorderasiatischen Formen gearbeitet haben, dürfte es aber in Palästina schon früher gegeben haben.

Weitaus häufiger als die kostbaren Rundplastiken aus Stein oder Metall waren in dem meist armen Land in der Bronze- und Eisenzeit **Terrakotten**. Diese sind teils rundplastisch, teils in Matrizen gepresst mit flacher Rückseite, teils als Plaketten gearbeitet. Auch die fast ausschliesslich weiblichen Terrakotten sind als solche nie systematisch gesammelt und bearbeitet worden, wenn es auch nicht an wichtigen Vorarbeiten für eine solche Studie fehlt (28). Allerdings galten auch diese Vorarbeiten in der Regel, ähnlich wie das Werk von O. NEGBI, ausschliesslich den Darstellungen von Gottheiten, so dass Darstellungen von Menschen — wie die bekannten, wenn auch nie ordentlich publizierten Figuren aus Achzib (29) — oder Tierfiguren unberücksichtigt blieben, obgleich gerade letztere religionsgeschichtlich bedeutsam sein können (30).

Ikonographisch ergiebiger als rundplastische Werke aus Stein, Metall und Ton sind in der Regel die Erzeugnisse der Flachbildkunst (31), da diese viel leichter als jene mehrere Grössen zueinander in Beziehung setzen können, so z.B. eine Gottheit und ihre Attributtiere, die Verhältnisse unter den Göttern und die Beziehungen zwischen Gottheiten und Menschen. Von den Erzeugnissen der Flachbildkunst sind in erster Linie monumentale **Steinstelen** zu nennen. Aegyptische und ägyptisierende Stelen und Stelenfragmente sind vor allem in Bet-Schean gefunden wor-

27 J.H.ILIFFE, A Hoard of Bronzes from Askalon, c. Fourth Century B.C., in : Quarterly of the Department of Antiquities in Palestine 5 (1936) 61-68 und Pl. 29-34.
28 Vgl. zum Ganzen : J.B.PRITCHARD, Palestinian Figurines in Relation to certain Goddesses known through Literature (American Oriental Series 24) New Haven 1943; GALLING 1977 : 100. 116-119, und die neuere Darstellung von WINTER 1983 : 96-134. Zu einer einzelnen Gruppe vgl. M.TADMOR, Female Cult Figurines in Late Canaanite and Early Israel : Archaeological Evidence, in : T.ISHIDA (Hrsg.), Studies in the Period of David and Salomon and other Essays, Tokio 1982, 139-173. Zu einem sehr interessanten Steinmodel zur Herstellung von Terrakotten vgl. S.BEN—ARIEH, A Mould for a Goddess-Plaque, in : Israel Exploration Journal 33 (1983) 72-77.
29 PRITCHARD 1954 : Abb. Nr. 79, 152; KEEL 1984 : 317 Abb. 453, 322 Abb. 464.
30 Vgl. zu den Terrakotta-Tierfiguren aus der Eisenzeit den materialreichen Aufsatz von T.A. HOLLAND, A Study of Palestinian Iron Age Baked Clay Figurines with Special Reference to Jerusalem : Cave 1, in : Levant 9 (1977) 121-155.
31 Zur Flachbildkunst gehören schon eine Anzahl der von NEGBI 1976 zusammengestellten Anhänger, Metallfolien u.ä., wie die in Anm. 16 genannte Goldfolie, und natürlich auch Terrakottaplaketten wie jene, die mit Hilfe des Models angefertigt wurden, das am Schluss von Anm. 28 genannt ist.

den (32). Fragmente ägyptischer Steinstelen sind aber u.a. auch auf dem Tell el-'Oreme am See Gennesaret (33), in Megiddo (von Scheschonk I.) (34), in Jerusalem (35) und auf dem Tell es-Safi in der Schefela (36) gefunden worden. Ein ägyptisches Felsrelief wurde in der Gegend von Timna nördlich von Elat entdeckt (37). Zwei ägyptisierende Stelen, die angeblich aus Beit-Mirsim stammen und als Bestandteil der Sammlung R. HECHT im archäologischen Museum der Universität Haifa ausgestellt sind, müssen erst noch auf ihre Echtheit überprüft werden. Sehr interessant ist die seit langem bekannte stark ägyptisierende Stele aus Balu'a im südlichen Ostjordanland (38).

In ihrem monumentalen Werk "Altvorderasiatische Bildstelen und vergleichbare Felsreliefs" (39) führt J.BOERKER-KLAEHN aus Palästina nur das Fragment einer Stele aus der Mittelbronze-Zeit II B (Hyksoszeit) vom Tell Beit-Mirsim (40) und die Bruchstücke einer neuassyrischen Stele aus Aschdod (41) an. Darüber hinaus ist noch auf eine Stele aus dem frühbronzezeitlichen Arad (42) hinzuweisen, auf das dem Tell Beit-Mirsim-Bruchstück vergleichbare Fragment einer Stele aus Sichem mit Resten einer protosinaitischen Inschrift (43), auf die bekannte Stele mit den ausgestreckten Händen aus Hazor (44), auf das grosse Stelenfragment mit der Darstellung eines Kämpfers vom Rugm el-'Abd beim

32 ROWE 1930 : Pl. 33.41-44.46.48-50; zu zwei ägyptischen Stelen des Neuen Reiches aus der Gegend von Schech Sa'd im Hauran vgl. GRESMANN 1927 : Abb. 90 und 103.
33 W.F.ALBRIGHT/A.ROWE, A Royal Stele of the New Empire from Galilee, in : The Journal of Egyptian Archaeology 14 (1928) 281-285 und Pl. 29,2; PORTER/MOSS 1952 : 382.
34 LAMON/SHIPTON 1939 : 60f. und Fig. 70; PORTER/MOSS 1952 : 381.
35 V.SCHEIL, Archéologie. Varia II, in : Revue Biblique 1 (1892) 116f.; PORTER/ MOSS 1952 : 373.
36 BLISS/MACALISTER 1902 : 43 Fig. 21, cf. p. 152; PORTER /MOSS 1952 : 372.
37 R.VENTURA, An Egyptian Rock Stela near Timna', in : Tel Aviv 1 (1974) 60-63.
38 PRITCHARD 1954 : Abb.488; KEEL 1984 : Abb.416; PORTER/MOSS 1952 : 382; W.A.WARD/M.F.MARTIN, The Balu'a Stele. A new Transcription with Palaeographical and Historical Notes, in : Annual of the Department of Antiquities of the Hashemite Kingdom of Jordan 8/9 (1964) 5-29 und Pl. 1-6.
39 Baghdader Forschungen 4, 2 Bde., Mainz 1982.
40 Ebdd. 237, Nr. 282; vgl. unten in der Arbeit von S.SCHROER die Abb. Nr. 17.
41 Ebd. 202, Nr. 174.
42 R.AMIRAN, A Cult Stele from Arad, in : Israel Exploration Journal 22 (1972) 86-88 und Pl. 14-16; vgl. WINTER 1983 : 357f. und Abb.363.
43 F.M.Th.BOEHL, Die Sichem Plakette. Protoalphabetische Schriftzeichen der Mittelbronzezeit vom tell balaṭa, in : Zeitschrift des Deutschen Palästinavereins 61 (1938) 1-25 und Taf.1 : vgl. unten in der Arbeit von S.SCHROER die Abb.19.
44 YADIN 1958 : Pl. 28 und 29,1-2; KEEL 1984 : Abb. 431.

Dorf Fuqu'a im Gebiet von Moab (45), auf das Fragment einer Basaltstele mit Relief- und Inschriftenresten aus dem moabitischen Kerak (45a), und zusätzlich zu denjenigen aus Aschdod noch auf die Fragmente neu-assyrischer Stelen aus Samaria (46) und vom Tell es-Safi (47).

Vorderasiatisch beeinflusst, wenn auch keine Stele, ist das bekannte Orthostatenrelief mit Löwen und Hunden aus Bet-Schean (48). Das Gleiche gilt vom Fragment eines Löwenreliefs aus Kerak in Moab (48a).

Schnell hingeworfene **Felsritzungen** und Sgraffiti sind stilistisch häufig sehr schwer zu situieren und interessieren so den Kunstgeschichtler kaum. Ikonographisch können sie trotzdem von Bedeutung sein, denn wie der Begründer der modernen Ikonologie A.WARBURG, immer wieder betont hat, bezeugen ein drittklassiger Holzschnitt, eine Postkarte oder eine Briefmarke als Massenkommunikationsmittel, die Existenz einer bestimmten Vorstellung, eines "Bildgedankens" mindestens ebenso gut wie ein Spitzenwerk der Hochrenaissance (49). Es seien in diesem Zusammen-

45 PRITCHARD 1954 : Abb.177; O.TUFNELL, The Shihan Warrior, in : Iraq 15 (1953) 161-166; E.WARMENBOL, La stèle de Ruǧm el-'Abd (Louvre AO 5055) : Une image de divinité moabite du IXème-VIIème siècle av. n.è., in : Levant 15 (1983) 63-75.
45a W.L.REED/F.V.WINNETT, A Fragment of an Early Moabite Inscription from Kerak, in : Bulletin of the American School of Oriental Research 172 (1963) 1-9; M.WEIPPERT, Archäologischer Jahresbericht, in : Zeitschrift des Deutschen Palästinavereins 82 (1966) 328-330.
46 J.W. und G.M.CROWFOOT/K.M.KENYON, Samaria-Sebaste III : The Objects, London 1957, 35 und Pl. 2,3.
47 BLISS/MACALISTER 1902; 41 Fig.17 = E.STERN, Eretz Israel at the End of the Period of the Monarchy (hebr.), in : Qadmoniot 6 (1973) 13 oben rechts.
48 ROWE 1930 : Frontispiz; K.GALLING, Das Löwenrelief von Bethsean – ein Werk des 8. Jahrhunderts, in : Zeitschrift des Deutschen Palästinavereins 83 (1967) 125-131.
48a G.HORSFIELD/L.H.VINCENT, Une stèle égypto-moabite au Balou'a, in : Revue Biblique 41 (1932) 438 und Taf. 15,4; R.CANOVA, Inscrizioni e monumenti protocristiani del paese di Moab, in : Sussidi allo studio delle Antichità cristiane 4 (1954) 8 Abb.4.
49 "Es war stets ein Grundsatz des WARBURGSCHEN Forschungsprogramms ge-wesen, dass der Kulturhistoriker sich nicht auf die Werke der grossen oder "schö-nen" Kunst beschränken dürfe, sondern auch andere Formen der Symbolik in seine Arbeit aufnehmen müsse. Die ephemeren Künste des Festwesens, aber auch der Propaganda und Flugschriften waren solch ein Gebiet, das WARBURG der Aufmerksamkeit der Historiker empfahl. Jetzt ging es ihm darum, die potentielle Bedeutung eines Gebiets aufzuzeigen, das anscheinend übersehen oder verachtet wurde, weil es nur allzu bekannt war : die Gestaltung von Briefmarken und an-derer offizieller Symbole" (E.H.GOMBRICH, Aby Warburg. Eine intellektuelle Biographie, Frankfurt a.M. 1970, 353f.); "Die Ausstellungen zur "Geschichte von Sternglaube und Sternkunde"... über Briefmarken und die Vorarbeiten zum "Bild-eratlas" dokumentieren, wie die Randkünste für WARBURG immer mehr zum Schlüssel umfassender Zusammenhänge werden" (G.SYAMKEN, Aby Warburg – Ideen und Initiativen, in : W.HOFMANN/G.SYAMKEN/M.WANKE, Die Men-schenrechte des Auges. Ueber Aby Warburg, Frankfurt a.M. 1980, 41f.); vgl. dazu die Einleitung in A.WARBURG, Heidnisch-antike Weissagung in Wort und

hang als Beispiele nur die zahlreichen Felsritzungen im Negev (50), das schöne spätbronzezeitliche Reschef-Sgraffito in Lachisch (51) und die in einem eisenzeitlichen Grab in Chirbet el-Qôm eingekratzte Hand (52) genannt.

Zusätzlich zu den bereits aufgeführten **Metallarbeiten der Flachbildkunst** (53) muss noch auf den gravierten Silberbecher aus 'Ain-Samija aufmerksam gemacht werden (54). Sehr wichtig für die ikonographischen Traditionen der Eisenzeit der südlichen Levante wären die bis heute nie systematisch bearbeiteten und veröffentlichten phönizischen Metallschalen, selbst wenn in Palästina/Israel bis heute kaum Belege für diese Gattung zum Vorschein gekommen sind (55).

Mehr Beachtung als Werke der Flachbildkunst in Stein oder in Metall ist stets den in Palästina/Israel gefundenen **Knochen- und Elfenbeinritzereien und -schnitzereien** entgegen gebracht worden. Man hat sie stets

Bild zu Luthers Zeiten (Sitzungsberichte der Heidelberger Akademie der Wissenschaften. Phil.-Hist. Klasse, Jahrg. 1919, 26. Abhandlg.) Heidelberg 1920   D. WUTTKE (Hrsg.), A.M.WARBURG, Ausgewählte Schriften und Würdigungen, Baden-Baden 1980, 199-304); vgl. auch oben Anm.7.

50 E.ANATI, Ancient Rock Drawings in the Central Negev, in : Palestine Exploration Quarterly 87 (1955) 49-57; DERS., Rock Engravings from the Jebel Ibeid (Southern Negev), in : Palestine Exploration Quarterly 88 (1956) 5-13; die meisten Felszeichnungen im Negev gehören in die hellenistisch-römische Zeit, aber ANATI ist es gelungen, auch ältere festzustellen; vgl. DERS., Palestine before the Hebrews, New York 1963, 180-214; zu wahrscheinlich spätbronzezeitlichen Felsritzungen vgl. auch B.ROTHENBERG, Timna. Valley of Biblical Copper Mines, London 1972, 119-124.

51 D.USSISHKIN, Excavations at Tel Lachish 1973-1977, in : Tel Aviv 5 (1978) 18 und Pl. 7,1.

52 S.SCHROER, Zur Deutung der Hand unter der Grabinschrift von Chirbet el Qôm, in : Ugarit Forschungen 15 (1983) 191-199.

53 Vgl. die Anm. 15,16 und 31.

54 Z.YEIVIN, A Silber Cup from Tomb 204 at 'Ain-Samija, in : Israel Exploration Journal 21 (1971) 78-81; KEEL 1984 : 335 Abb.483.

55 Vgl. aber LAMON/SHIPTON 1939 : Pl. 115,12; die älteren Funde syro-phönizischer Metallschalen bei F. POULSEN, Der Orient und die frühgriechische Kunst, Leipzig/Berlin 1912, 6-37; Freiherr W. von BISSING, Untersuchungen über die phönikischen Metallschalen, im : Jahrbuch des Deutschen Archäologischen Instituts 38/39 (1923/24) 180-241; zu neueren Funden und deren Bearbeitung vgl. die Literaturangaben bei P.WELTEN, Eine neue "phönizische" Metallschale, in : A.KUSCHKE/E.KUTSCH (Hrsg.), Archäologie und Altes Testament. Festschrift für KURT GALLING, Tübingen 1970, 275f.; vgl. zuletzt : E.LAGARCE, Le rôle d'Ugarit dans l'élaboration du répertoire iconographique syro-phénicien du premier millénaire avant J.-C., in : Atti del I congresso internazionale di studi fenici e punici. Roma, 5-10 novembre 1979, Vol. II, Roma 1983, bes. 559ff. Frau E.LAGARCE (— DU PUYTISON) scheint auch das ganze Material systematisch gesammelt und bearbeitet zu haben, aber diese Arbeit ist nie publiziert worden.

mit besonderer Sorgfalt publiziert (56) und wiederholt systematisch
bearbeitet (57). Zusammen mit dem Luxusgut der Elfenbeinschnitzereien
können die gravierten **Tridacna-Muscheln** erwähnt werden (58). Ihre
Dekorationsmuster sind den von **Textilien** bekannten verwandt (59).
Bestickte Textilien vorderasiatischer (vgl. Jos 7,21) und ägyptischer
Herkunft (Spr 7,16) dürften als Bildträger und Bildvermittler eine wichtige Rolle gespielt haben (vgl. Ex 26,1.31; 36,8; 2 Chr 3,14), wenn sich
naturgemäss davon auch nichts erhalten hat.

Neben den genannten Luxusgütern stehen **Tonbehälter und -gefässe**
aller Art, die **mit Reliefschmuck** versehen sind. Einzelne Varianten dieses
Bildträgers gehören zu den besser bearbeiteten Gruppen. In der Früh-
bronzezeit handelt es sich um Haus- und Tempelmodelle (60), in der Spätbronzezeit um ägyptisierende Gefässgattungen (61). Hier sind auch die
reliefierten Schiebesarkophage anzuschliessen, die von den Aegyptern
übernommen und am Ende der Spätbronze- und in der Frühen Eisenzeit

56 So sind die Elfenbeinfunde aus dem eisenzeitlichen Samaria und die aus dem spät-
    bronzezeitlichen Megiddo in eigenen Bänden veröffentlicht worden (Vgl. J.W.
    und G.M.CROWFOOT, Early Ivories from Samaria (Samaria-Sebaste II), London
    1938; G.LOUD, The Megiddo Ivories (Oriental Institute Publication 52) Chicago
    1939.
57 Vgl. Ch.DECAMPS DE MERTZENFELD, Inventaire commenté des ivoires phéni-
    ciens et apparentés découverts dans le Proche Orient, Paris 1954 und die Be-
    sprechung von H.J.KANTOR, Syro-Palestinian Ivories, in : Journal of Near Eas-
    tern Studies 15 (1956) 153-174; den sorgfältig dokumentierten Lexikonartikel
    "Elfenbein" von H.WEIPPERT in : GALLING 1977 : 67-72; den Aufsatz von I.
    J.WINTER, Is there a South Syrian Style of Ivory Carving in the Early First
    Millenium B.C.?, in : Iraq 43 (1981) 101-130, die neben Nordsyrien und der phö-
    nizischen Küste Damaskus als weiteres Zentrum zu erweisen sucht; endlich den
    weiträumigen Ueberblick von R.D.BARNETT, Ancient Ivories in the Middle
    East and Adjacent Countries (Qedem 14), Jerusalem 1982.
58 R.A.STUCKY, The Engraved Tridacna Shells, in : Dédalo. Museu de arqueologia
    e etnologia universidade de Sao Paulo 10/19 (1974) 7-170 (Tell Fara'-Süd, Arad,
    Bethlehem); Sh.GEVA, A Fragment of a Tridacna Shell from Shechem, in : Zeit-
    schrift des Deutschen Palästinavereins 96 (1980) 41-47; B.BRANDL, The Resto-
    ration of an Engraved Tridacna Shell from Arad, in : The Israel Museum Journal
    3 (Spring 1984) 76-79; DERS., The engraved Tridacna-Shell Discs, in : Anatolian
    Studies 34 (1984) 15-41.
59 STUCKY, Ebd. 78-80.
60 Vgl. P.DE MIROSCHEDJI, Un objet en céramique du Bronze ancien à repré-
    sentation humaine, in : Israel Exploration Journal 32 (1982) 190-194; R
    AMIRAN, Early Arad. The Chalcolithic Settlement and Early Bronze City I.
    First-fifth Season of Excavations, 1962-1966, Jerusalem 1978, 52f. und Pls. 66
    und 115.
61 Vgl. z.B. M.WEIPPERT, Kanaanäische "Gravidenflaschen". Zur Geschichte einer
    ägyptischen Gefässgattung in der asiatischen "Provinz", in : Zeitschrift des Deut-
    schen Palästinavereins 93 (1977) 268-282; E.STERN, Bes Vases from Palestine
    and Syria, in : Israel Exploration Journal 26 (1976) 183-187.

auch lokal hergestellt worden sind (62).

In der Frühen Eisenzeit findet sich in der Philisterkeramik eine Vielzahl von Bildelementen, sei es in der Form von theriomorphen Gefässen, sei es in der Form von Aufsätzen (63). In dieser Zeit setzen auch die mit Reliefs dekorierten Kultständer ein, die eine überraschende Motivvielfalt aufweisen (64). Aus der Eisenzeit II stammen eine Anzahl von Gefäss-fragmenten mit sekundär appliziertem Reliefschmuck aus Ton (65).

Wenn von den chalkolithischen aus Tulēlāt el-ghassūl, die uns hier nicht interessieren, abgesehen wird, sind von **Wandmalereien** m. W. bisher nur aus der Eisenzeit II C (800 - 586 v.Chr.) Spuren gefunden worden, und zwar in Kuntillet 'Ajrud, auf der Grenze zwischen Sinai und Negev und auf dem Tell Dēr 'Allā im Jordantal (66). Der geflügelte Sphinx (Kerub) vom Tell Dēr 'Allā ist übrigens eher als Wandzeichnung, denn als Wandmalerei anzusprechen. Literarische Hinweise, wie z.B. Ezechiel 23,14, lassen die Vermutung zu, dass solche Wandmalereien und -zeichnungen viel häufiger waren, als diese vorläufig isolierten Funde ahnen lassen (67).

Vom Ende der Mittelbronze-Zeit II B an beginnen figurative Elemente, die es vereinzelt schon früher gegeben hat, in der **Bemalung der Keramik** eine grössere Rolle zu spielen (68), zum ersten Mal in der sogenannten zweifarbigen Keramik ("bichrome ware"). C.EPSTEIN hat diese monographisch behandelt (69). Im übrigen ist die bemalte Keramik der Spätbronzezeit aber nicht systematisch behandelt worden. R.AMIRAN hat in ihrem Standardwerk zur Keramik ein Kapitel dem "Palm-tree and Ibex Motif" gewidmet (70). Aber das ist nur das typischste, nicht das

62 T.DOTHAN, Excavations at the Cemetery of Deir el-Balah (Qedem 10), Jerusalem 1979, passim; M.WEIPPERT in : GALLING 1977 : 271f.
63 DOTHAN 1982 : bes. 219-251.
64 L.DE VRIES, Incense Altars from the Period of the Judges and their Significance, Ann Arbor 1975. Leider sind die Photos miserabel, sodass man fast nichts erkennen kann.
65 E.STERN, New Types of Phoenician Style Decorated Pottery Vases from Palestine, in : Palestine Exploration Quarterly 110 (1978) 11-21.
66 P.BECK, The Drawing from Horvat Teiman (Kuntillet 'Ajrud), in : Tel Aviv 9 (1982) 47-68; J.HOFTIJZER/G.VAN DER KOOIJ, Aramaic Texts from Deir 'Alla (Documenta et Monumenta Orientis Antiqui 21) Leiden 1976, 165f. und Pl. 15.
67 Wandmalereien sind schon aus einem Heiligtum der Spätbronze-Zeit in Lachisch bekannt, doch konnten dort keine figurativen Elemente nachgewiesen werden (vgl. D.USSISHKIN/CH.CLAMER, A Newly Discovered Canaanite Temple at Tel Lachish, in : Qadmoniot 9 (1976) gegenüber von S. 110 unten).
68 Zur Keramik im allgemeinen vgl. AMIRAN 1969; U.MUELLER, Keramik, in : GALLING 1977 : 168-185.
69 Palestinian Bichrome Ware, Leiden 1966; vgl. auch AMIRAN 1969 : 152-157.
70 Ebd. 161-165.

einzige Motiv. Die Motive der Philisterkeramik hat T.DOTHAN in ihrer grossen Monographie untersucht (71), während die Malereien und Zeichnungen auf Gefässen und Scherben der Eisenzeit, soweit sie nicht zur Philisterkeramik gehören, keine systematische Bearbeitung gefunden haben (72).

III.

Entschieden häufiger als alle bisher genannten Bildträger hat man in Palästina/Israel aber **Siegel** und Amulette gefunden. Sie stellten im Bereich der Ikonographie vor der Einführung geprägter Münzen wahrscheinlich das wichtigste Massenkommunikationsmittel dar. Besonders die Siegel sind zudem bedeutend motivreicher als alle andern in diesem Land verfügbaren Bildträger der Bronze- und Eisenzeit. Wir können aufgrund der verschiedenen Formen und ihres verschiedenen Funktionierens zylindrische Siegel, die abgerollt werden (Rollsiegel), von nur im Bereich eines flachen Feldes gravierten Siegeln, mit denen gestempelt wird (Stempelsiegel), unterscheiden. Die Stempelsiegel (stampseals, cachets) können wiederum aufgrund ihres Formenreichtums weiter unterteilt werden, z.B. in : Skarabäen, Skaraboiden, konische Siegel, Platten usw. (73).

Die **Rollsiegel** sind viel seltener als die Stempelsiegel. Sie dürften etwa 4 - 5 o/o der in Palästina/Israel bei legalen Grabungen gefundenen Siegel darstellen . Sie sind in ihrer Gesamtheit zweimal kurz nacheinander (1939 und 1949) systematisch dargestellt worden (74). Seither hat sich das Material stark vermehr. A.MAZAR hat in einer unveröffentlichten Diplomarbeit (M.A.) in den 70er Jahren ca. 400 Rollsiegel aus Palästina/Israel zusammengestellt (75). Besondere Aufmerksamkeit ist den Roll-

---

71 1982 : 94-218.
72 Zu Einzelfunden vgl. P.BECK, The Drawings from Horvat Teiman (Kuntillet 'Ajrud), in : Tel Aviv 9 (1982) 3-47; Sh.GEVA, The Painted Sherd of Ramat Rahel, in : Israel Exploration Journal 31 (1981) 186-189.
73 Zum Ganzen vgl. P.WELTEN, Siegel und Stempel, in : GALLING 1977, 299-307.
74 J.NOUGAYROL, Cylindres sceaux et empreintes de cylindres trouvés en Palestine au cours de fouilles régulières (Bibliothèque archéologique et historique 33), Paris 1939. Es werden 149 Stücke aufgelistet. B.PARKER, Cylinder Seals from Palestine, in : Iraq 11 (1949) 1-43. Der Aufsatz behandelt 194 Stücke, darunter auch solche aus dem Handel.
75 Vgl. DERS., Cylinder Seals of the Middle and Late Bronze Ages in Eretz-Israel (Hebr.), in : Qadmoniot 9 (1978) 6-14.

siegeln und Rollsiegelabdrücken des 3. Jahrtausends v.Chr. (76) und in beschränkterem Umfang der sogenannten "Mitanniglyptik" (77) zuteil geworden.

Die mit Namen beschrifteteten **Stempelsiegel** aus Palästina/Israel wie z.B. die ägyptischen Beamtensiegel des Mittleren Reiches (78) und die Siegel mit Namen und Inschriften der Pharaonen (79) sind wenigstens teilweise systematisch untersucht worden. Vor allem aber haben sich die hebräischen Namensiegel der Eisenzeit II seit dem letzten Jahrhundert

76 P.BECK, Problems in the Glyptic Art of Palestine, Columbia University Ph. D. 1967, Ann Arbor 1967, 1-70; DIES., The Cylinder Seal Impressions from Megiddo Stage V and Related Problems, in : Opuscula Atheniensia 11 (1975) 1-16; A.BEN-TOR, Cylinder Seals of Third-Millenium Palestine (American Schools of Oriental Research Supplement Series 22), Cambridge Mass. 1978; S.MITTMANN, Früh-ägyptische Siegelinschriften und ein SRH-Emblem des Horus 'H? aus dem nörd-lichen Negeb, in : Eretz-Israel 15 (1981) 1*-9*.

77 P.BECK, Problems in the Glyptic Art of Palestine, Columbia University Ph. D. 1967, Ann Arbor 1967, 71-140.

78 G.Th.MARTIN, Egyptian Administrative and Private-Name Seals Principally of the Middle Kingdom and Second Intermediate Period, Oxford 1971; vgl. das Register S. 189f.; R.GIVEON, Hyksos Scarabs with Names of Kings and Officials from Canaan, in : Chronique d'Egypte 49 (1974) 222-233; DERS., Egyptian Seals with Titles and Names from Canaan, in : Tel Aviv 3 (1976) 127-133.

79 R.GIVEON, A Sealing of Khyan from the Shephela of Southern Palestine, in : Journal of Egyptian Archaeology 51 (1965) 202-204; GIVEON 1978 : 73-80; DERS., A New Hyksos King, in : Tel Aviv 7 (1980) 90f.; J.M.WEINSTEIN, The Egyptian Empire in Palestine : a Reassessment, in : Bulletin of the American School of Oriental Research 241 (1981) 1-28, besonders 8-10; B.JAEGER, Essai de classification et datation des scarabées Menkheperrê (Orbis Biblicus et Orien-talis. Series Archaeologica 2), Freiburg/Schweiz — Göttingen 1982; vgl. die Register !; C.BLANKENBERG-VAN DELDEN, The Large Commemorative Scarabs of Amenhotep III (Documenta et Monumenta Orientis Antqui 15), Leiden 1969; vgl. die Register !

immer wieder intensiver Aufmerksamkeit erfreut (80). Eine besondere Gruppe der beschrifteten Siegel bilden die judäischen *lmlk*-Stempelabdrücke (81). Beschriftete Siegel waren schon im letzten Jahrhundert so gesucht, dass zahlreiche Fälschungen hergestellt worden sind, u.a. ein Karneolsiegel mit der Inschrift *'ebed JHWH dāwīd melek* (82). Zwar hat die Arbeit von P.WELTEN (83) auch die Ikonographie eingehend berücksichtigt, und K.GALLING (Anm.69) wollte mit seiner Arbeit, wie der Untertitel ausdrücklich sagt, einen Beitrag zur Geschichte der phönizischen Kunst, nicht zur semitischen Epigraphik leisten. Aber Auswahlkriterium blieb auch für ihn die Beschriftung, so dass auch ikonographisch hoch interessante Stücke, wenn eine Inschrift fehlte, unberücksichtigt blieben.

80 M.DE VOGUE, Mélanges d'archéologie orientale III, Paris 1868, 105-140 DERS., Intailles à légendes sémitiques, in : Revue archéologique, Nouvelle Série 17 (1868) 432-450; M.A.LEVY, Siegel und Gemmen mit aramäischen, phönizischen, hebräischen, himjarischen, nabathäischen und altsyrischen Inschriften, Breslau 1869; Ch.CLERMONT-GANNEAU, Sceaux et cachets israélites, phéniciens et syriens, suivis d'épigraphes phéniciennes inédites sur divers objets, et de deux intailles cypriotes, in : Journal asiatique 8, Série 1 (1883) 123-159. 506-510; 2 (1883) 304f.; DERS., Recueil d'archéologie orientale, Paris, I, 1888 : p. 33-38 : Le sceau de Obadyahou, fonctionnaire royal israélite; p. 167-168. Le sceau d'Abdhadad; p. 238-240 : Une intaille bilingue égypto-araméenne; II, 1898 : p. 28-33 : 18. Un nouveau cachet israélite archaïque (Yahmolyahou Maʿaseyahou); p. 45-46 : 22. Sceau d'Elamaç fils de Elichouʾ; p. 116-118 : 42. Cachet israélite aux noms de Ahaz et Pekhai; p. 251-253 : 65. Cachet israélite archaïque aux noms d'Ichmael et de Pedayahou; III, 1900 : p. 147-154 : 31. Sceau phénicien au nom de Milik-yaʿzor; p. 154-156 : 32. Sceau israélite au nom d'Abigaïl, femme de ʿAsayahou; p. 188-194 : 35. Quatre nouveaux sceaux à légendes sémitiques; IV, 1901 : p. 158-159 : 26. Sceau phénicien au nom de Gaddai; p. 192-196 : 34. Sceaux et poids à légendes sémitiques du Ashmolean Museum; p. 255-261 : 51. Sur quelques cachets israélites archaïques; V, 1903 : p. 121-129 : 26. Trois nouveaux cachets israélites archaïques; VI, 1905 : p. 294-298 : 32. Le sceau de Chemaʾ serviteur de Jéroboam; p. 374-375 : 44. Fiches et notules — Cachet phénicien au nom de Pharʾoch; M.DE VOGUE, Corpus Inscriptionum Semiticarum, Pars II, Tomus I, Paris 1889, Nr. 51-52.73-107; D.DIRINGER, Le iscrizioni anticho-ebraice Palestinesi, Firenze 1934, 159-261; K.GALLING, Beschriftete Bildsiegel des 1. Jahrtausends v.Chr. vornehmlich aus Syrien und Palästina. Ein Beitrag zur Geschichte der phönizischen Kunst, in : Zeitschrift des Deutschen Palästinavereins 64 (1941) 121-202; S.MOSCATI, L'epigrafia ebraica antica 1935-1950 (Biblica et Orientalia 15), Roma 1951, 47-71; F.VATTIONI, I sigilli ebraici, in : Biblica 50 (1969) 357-388; DERS., I sigilli ebraici II, in : Augustinianum 11 (1971) 447-454; DERS., I sigilli, le monete e gli avori aramaici, Ebd. 47-87; R.HESTRIN/M.DAYAGI-MENDELS, Inscribed Seals, First Temple Period. Hebrew. Ammonite, Moabite, Phoenician and Aramaic. From the Collection of the Israel Museum and the Israel Department of Antiquities and Museums, Jerusalem 1979. Dazu kommen unzählige Aufsätze, besonders von P.BORDREUIL, N.AVIGAD und A.LEMAIRE, die kleine Gruppen oder einzelne Namenssiegel monographisch behandeln. Im Hinblick auf ein Corpus der Siegel mit nordwest-semitischen Inschriften schreibt A. LEMAIRE in

Wie sehr die Beschäftigung mit der Glyptik bis heute von literarischen und epigraphischen Gesichtspunkten beherrscht wird, zeigt auch ein vor kurzem erschienener Sammelband zum Thema "Ancient Seals and the Bible" (84), den L.GORELICK und E.WILLIAMS-FORTE herausgegeben

einem Brief vom 27. Febr. 1985 : "Pour le projet du nouveau Corpus de sceaux nord-ouest sémitiques, ce n'est pas moi qui en suis responsable mais PIERRE BORDREUIL, simplement je collabore en partie avec lui soit par des publications conjointes préliminaires, soit en publiant des sceaux auxquels il ne peut avoir accès afin qu'il puisse ensuite les reprendre dans son corpus. En fait, PIERRE BORDREUIL va publier, probablement vers la fin 1985 (le manuscrit vient de partir à l'impression), d'abord tous les sceaux de collections officielles de Paris : Louvre, Cabinet des Médailles (Bibliothèque Nationale), Musée Bible et Terre Sainte, Collection Seyrig. Outre de nombreux sceaux déjà publiés, ce petit volume présentera plusieurs inédits. Quant au Corpus lui-même, incluant tous les sceaux nord-ouest sémitiques connus, il ne paraîtra pas avant deux ou trois ans. Il est possible que, entre-temps, paraisse le catalogue du Prof. NAHMAN AVIGAD, qui ne prétendra pas à l'exhaustivité, en particulier pour les sceaux-cylindres, mais devrait aussi comporter un certain nombre d'inédits.

Par ailleurs, W. AUFRECHT (Canada) prépare actuellement un corpus des inscriptions ammonites qui devrait comporter, en particulier, tous les sceaux classés aujourd'hui comme ammonites (moins d'une centaine). Je lui ai déjà fourni un certain nombre de photos de ces sceaux mais je ne sais pas exactement quand il pense faire paraître ce corpus. De plus, à un niveau plus modeste et probablement sans photo (ou du moins avec des reproductions de photographies déjà publiées), F. ISRAEL, actuellement à Paris, prépare, lui aussi, une sorte de petit corpus des inscriptions ammonites sur lesquelles il travaille depuis plusieurs années déjà (il est surtout intéressé par l'aspect onomastique et linguistique, moins par l'aspect iconographique). Il inclura aussi tous les sceaux classés comme ammonites". Aber nicht nur der Inhalt der beschrifteten Siegel, sondern auch ihre Schrift ist systematisch untersucht worden. Vgl. L.G.HERR, The Scripts of Ancient North-west-Semitic Seals (Harvard Semitic Monograph Series 18) Missoula 1978 und die Rezension von J.NAVEH im Bulletin of the American School of Oriental Research 239 (1980) 75f.

81 WELTEN 1969; D.USSISHKIN, The Destruction of Lachish by Sennacherib and the Dating of the Judean Storage Jars, in : Tel Aviv 4 (1977) 28-60; A.LEMAIRE, Classification des estampilles royales judéennes, in : Eretz Israel 15 (1981) 54*-60*; H.MOMMSEN/I.PERLMANN/J.YELLIN, The Provenience of the *lmlk* Jars, in : Israel Exploration Journal 34 (1984) 89-113; angesichts der vielen neuen Funde, die in letzter Zeit besonders in Jerusalem gemacht worden sind und in Anbetracht der neu in Anwendung gebrachten Methoden wird die ganze Gruppe wohl in absehbarer Zeit neu bearbeitet werden.

82 CH.CLERMONT-GANNEAU, Les fraudes archéologiques en Palestine, Paris 1885, 65-67; zu einer Anzahl gefälschter phönizischer Gemmen mit Inschriften (Ebd. 267-291) bemerkt CLERMONT-GANNEAU Ebd. 271 : "Il serait bien singulier que les faussaires toujours à l'affût pour exploiter les desiderata de la science, eussent négligé cette occasion qui s'offrait à eux de tenter une fabrication lucrative et relativement facile"; vgl. auch A.REIFENBERG, Palästinensische Kleinkunst, Berlin 1927, 115ff.

83 WELTEN 1969 : 10-33.

84 Malibu 1984.

24

haben. Von den sechs Beiträgen behandeln zwei literarische (Siegel und Siegeln in den biblischen Texten) und zwei epigraphische Probleme; einer beschäftigt sich mit der Frage der Herstellungstechniken, und nur ein einziger setzt sich mit einem ikonographischen Thema auseinander, dies zudem ausschliesslich anhand altsyrischer Glyptik, die von der Bibel doch etwas weit weg ist. Manche Motive der altsyrischen Glyptik haben sich zwar bis in die biblische Zeit durchgehalten und sind — mindestens in Spuren — auch in Palästina zu finden, aber darauf lässt sich dieser Beitrag nicht ein (85).

Dabei ist die grosse Masse des glyptischen Materials aus der Bronze- und Eisenzeit, das bisher in Palästina/Israel gefunden worden ist, und das aus Tausenden von Stempelsiegeln besteht, schätzungsweise zu 90 o/o nur mit Ornamenten, Glückszeichen und Bildern versehen, und nur bei ca. 10 o/o dürften Inschriften dazukommen bzw. Inschriften das einzige Dekorationselement sein (86). Es gibt keinerlei systematische Erfassung dieses Materials. Gelegentlich wird als Ersatz für eine solche systematische Darstellung auf A.ROWE "A Catalogue of Egyptian Scarabs, Scaraboids, Seals and Amulets in the Palestine Archaeological Museum" (87) hingewiesen (88). Aber erstens enthält dieser Katalog mit seinen 914 Skarabäen und seinen knapp 200 anderen Stempelsiegeln nur ca. 15 o/o des heute bekannten, aus legalen Grabungen stammenden Materials, und zweitens sind die Interpretation der Hieroglyphen und die zeitliche Ansetzung vieler Stücke durch ROWE oft höchst problematisch und auf weite Strecken nachweislich falsch. Für die Mittel-Bronze-II-Zeit (ca. 2000 — 1550 v.Chr.) hat kürzlich die grosse Arbeit von O. TUFNELL "Studies on Scarab Seals II. Scarab Seals and their Contribution to History in the Early Second Milleniam B.C." (89) die Lücke etwas geschlossen. Sie ist primär an historischen Fragen und damit an der Datierung interessiert. Sie beschreibt ikonographisch das Inventar und die Entwicklung der Bildmotive, schenkt aber dem ikonologischen Aspekt, nämlich

85 Vgl. dazu meinen Rezensionsartikel im Journal of the American Oriental Society, der noch 1985 oder spätestens 1986 erscheinen soll.
86 Vgl. vorläufig KEEL 1977 : 93 Anm. 160.
87 Le Caire 1936.
88 Vgl. z.B. P.WELTEN in : GALLING 1977, 300.
89 Warminster 1984, 2 Bände mit fortlaufender Zählung der Seiten. Im ersten Band dieses Werkes : W.A.WARD, Studies on Scarab Seals I. Pre-12th Dynasty Scarab Amulets, Warminster 1978 sind keine Skarabäen aus Palästina behandelt. Soweit ich sehe, sind aus Palästina keine Skarabäen bekannt, die älter sind als die MB II (ca. 2000-1550 v.Chr.).

der Bedeutung der Bildmotive kaum Beachtung (90). Das auf die letzteren Aspekte konzentrierte religionsgeschichtliche Interesse findet so bei ihr kaum relevante Ansatzpunkte. Vor allem aber bleiben die für die Bibel wichtigeren Perioden der Spätbronze- und der Eisenzeit unbearbeitet.

IV.

So ist die Feststellung von P.WELTEN von 1977 nach wie vor gültig : "Eine wichtige Quelle für die Darstellung von Göttern sind die Siegel... Das Material ist aber bislang weder unter diesem thematischen Aspekt behandelt worden, noch liegen neuere regionale Sammlungen der zahlreichen Siegel vor" (91). Ich habe seit 1975 an einer Reihe von Beispielen

90 Zur Unterscheidung von Ikonographie und Ikonologie vgl. E.PANOFSKY, Sinn und Deutung in der bildenden Kunst (Meaning in the Visual Arts) (Du Mont-Taschenbücher 33), Köln 1978; E.KAEMMERLING (Hrsg.), Bildende Kunst als Zeichensystem I. Ikonographie und Ikonologie. Theorien, Entwicklung, Probleme (Du Mont-Taschenbücher 83), Köln 1979; M.IMDAHL, Giotto, Arenafresken. Ikonographie, Ikonologie, Ikonik, München 1980; knapp gesagt versteht man unter Ikonographie jene Wissenschaft, die gegenständlich-figürliche Kunstwerke auf ihren Vorstellungsinhalt (Motiv, Sujet, Thema, Bildgegenstand, Bildgedanken) hin untersucht und seinen Ursprung und seine allmähliche Entwicklung beschreibt. Ikonologie verhält sich zu Ikonographie ähnlich wie Geologie zu Geographie. Sie will nicht die Oberfläche beschreiben, sondern die Faktoren namhaft machen, die die Gestaltung der Oberflächenstruktur bestimmt haben. Welche ökonomischen, gesellschaftlichen und geistesgeschichtlichen Wandlungen haben z.B. von der Darstellung heiliger Personen und Ereignisse vor Goldgrund im Mittelalter zur Landschaftsmalerei der Neuzeit geführt ? Ikonik ist jene Wissenschaft, die untersucht, worin das Spezifische der Bildkommunikation im Vergleich mit andern Arten der Kommunikation besteht.

91 In : GALLING 1977, 110; ähnlich hat G.DALMAN schon 1906 gesagt : "Bisher hat man nur die Inschriften dieser kleinen Kunstwerke mit hinreichender Sorgfalt beachtet, ihre Bilder dagegen mit der Feststellung ihres Gegenstandes abgetan, ohne zu beachten, dass sie trotz ihres babylonischen, phönizischen, ägyptischen Stiles wichtige Denkmäler israelitischen religiösen Denkens für uns sein müssen" (DERS., Ein neugefundenes Jahvebild, in : Palästina-Jahrbuch 2 (1906) 44). Das in diesem Beitrag von DALMAN diskutierte Siegel ist übrigens eines der ganz wenigen eisenzeitlichen Bildmotive auf Siegeln, das eingehend diskutiert worden ist; vgl. A.D.TUSHINGHAM, God in a Boat, in : The Australian Journal of Biblical Archaeology 1,4 (1971) 23-28; KEEL 1977 : 307f.; an anderen Beispielen wäre noch etwa zu nennen : W.A.WARD, The Four-Winged Serpent on Hebrew Seals, in : Rivista degli Studi Orientali 43 (1968) 135-143; W.CULICAN, Melqart Representations on Phoenician Seals, in : Abr Nahrain 2 (1960/61) 41-54; für die Mittelbronze-Zeit sind eine kleine Studie von M.A. MURRAY, Some Canaanite Scarabs, in : Palestine Exploration Quarterly 81 (1949) 92-99 und eine von O.TUFNELL, "Hyksos" Scarabs from Canaan, in : Anatolian Studies 6 (1956) 67-73, zu nennen.

zu zeigen versucht, welchen Gewinn eine systematische Bearbeitung bestimmter, vor allem auf Siegeln verbreiteter Einzelmotive und Kompositionen für die Exegese abwerfen können (92).

Diese Arbeiten haben viel Interesse, viel Zustimmung, aber auch manche Kritik erfahren (93). Besonders grosse, m.E. etwas überdimensionierte Beachtung fand die Studie von 1980 über das "Böcklein in der Milch seiner Mutter", in der die verschiedenen Verbote, die die Ziege und ihr Junges betreffen, auf den numinosen Charakter zurückgeführt werden, den dieses Ikon als Wirklichkeit und als Bild besessen hat. In Palästina/ Israel der biblischen Zeit wird seine Heiligkeit vor allem dadurch bezeugt, dass es häufig auf Stempelsiegeln graviert erscheint, regelmässig zusammen mit dem Skorpion, der wohl aufgrund seines auffälligen Paarungsverhaltens (94) zuerst mit dem Zeugungsakt (95) und dann mit verschiedenen Liebes- und Fruchtbarkeitsgöttinnen ganz allgemein assoziiert erscheint, besonders häufig in der alt- und mittelsyrischen Glyptik (96), aber auch noch in der des 1. Jahrtausends v.Chr. (97). B.COUROYER bemerkt in seiner Besprechung des "Böckleins in der Milch seiner Mutter" zum Skorpion unter dem Bett : "Sa présence sous le lit de l'hierogamie signifie-t-elle qu'il tient la place de la déesse Ishara ou bien, plus

---

92 KEEL 1977; DERS., Der Bogen als Herrschaftssymbol. Einige unveröffentlichte Skarabäen aus Israel und Aegypten zum Thema Jagd und Krieg, in : Zeitschrift des Deutschen Palästinavereins 93 (1977) 141-177; DERS., Jahwes Entgegnung an Ijob. Eine Deutung von Ijob 38-41 vor dem Hintergrund der zeitgenössischen Bildkunst (Forschungen zur Religion und Literatur des Alten und Neuen Testaments 121), Göttingen 1978; DERS. 1980 und 1980a; DERS., Der Pharao als "Vollkommene Sonne" : Ein neuer ägypto-palästinischer Skarabäentyp, in : S.ISRAELIT-GROLL (Ed.), Egyptological Studies (Scripta Hierosolymitana 28) Jerusalem 1982, 406-529; DERS., Deine Blicke sind Tauben. Zur Metaphorik des Hohen Liedes (Stutgarter Bibel-Studien 114/115), Stuttgart 1984; Vgl. auch K.JAROS, Die Motive der Heiligen Bäume und der Schlange in Genesis 2-3, in : Zeitschrift für die alttestamentliche Wissenschaft 92 (1980) 204-215, und die interessante Weiterführung der Ergebnisse des Aufsatzes "Der Bogen als Herrschaftssymbol" durch E.ZENGER, Gottes Bogen in den Wolken. Untersuchungen zur Komposition und Theologie der priesterschriftlichen Urgeschichte (Stuttgarter Bibel-Studien 112) Stuttgart 1983, 124-131.
93 Vgl. schon oben Anm. 7.
94 "Die Begattung (der Skorpione) beginnt mit einem Vorspiel; das Männchen ergreift mit seinen Scheren die Pedipalpen (Scheren !) des ihm gegenüber stehenden Weibchens und führt es schreitend mit sich; die Skorpione 'tanzen'" (O.KRAUS, in : B.GRZIMEK (Hrsg.), Grzimeks Tierleben. Enzyklopädie des Tierreichs 1, Zürich 1975, 413 und die Abb. Seite 407 oben).
95 Schon im 3. Jahrtausend ! Vgl. PRITCHARD 1954 : Abb. 680; WINTER 1983 : 355f.
96 WINTER 1983 : Abb. 195, 201, 205, 206, 221, 224, 283, 285, 288, 366f. usw.
97 M. HOERIG, Dea Syria, Studien zur religiösen Tradition der Fruchtbarkeitsgöttin in Vorderasien (Alter Orient und Altes Testament 208), Kevelaer/Neukirchen 1979, 198-216; KEEL 1980a : 272f.

prosaïquement, n'y figure-t-il qu'à titre d'hôte indésirable et habituel qui aime à se réfugier sous les lits ?" (98) Die Vorstellung, der Skorpion unter dem Bett mit dem Hieros Gamos könnte ein Element reiner Perzeptualität, ein reines Sehbild, ein naturalistisches Element sein, wird schon dem im allgemeinen stark konzeptuellen Charakter der Kunst nicht gerecht (98a). Ganz besonders aber ist sie bei der altorientalischen Siegelkunst fehl am Platz, die ganz und gar von konzeptuellen und traditionellen Elementen bestimmt ist, wie eben z.B. der mindestens ins 3. Jahrtausend v.Chr. zurückreichenden Verbindung zwischen dem Skorpion und der Zeugung, dem Skorpion und den Liebes- und Fruchtbarkeitsgöttinnen.

Die Behauptung COUROYERS "le dossier du scorpion artisan de mort est trop lourd pour qu'on lui impute une activité bénéfique" sieht die natürlichen Gegebenheiten zu einseitig (kein Hinweis auf den faszinierenden Paarungstanz !) und vergisst, dass die allgegenwärtige kulturelle Rezeption mit den natürlichen Phänomenen oft wenig zu tun hat. So kann etwa die Kobra in Aegypten vom ordinären, giftigen Reptil, das besonders Kindern gefährlich wird, über den (geflügelten) Schutzgenius bis zur Verkörperung der Nährgöttin Renenutet die verschiedensten Rollen spielen und mit verschiedensten Bedeutungen ausgestattet erscheinen. Es ist eine unstatthafte Vereinfachung anzunehmen, ein natürliches Phänomen sei quasi in der Regel Symbol für *einen* Begriff. Wofür ein bestimmtes Phänomen Symbol ist, lässt sich nur aus der Geschichte der Kombinationen und Kompositionen, in denen es auftritt, eruieren. Gelegentlich lässt es sich durch parallele literarische Zeugnisse erhärten.

COUROYER versucht die symbolisch-religiöse Deutung der Kombination : "Säugende Ziege-Skorpion" weiter durch das Argument zu entkräften, es sei auch mit dem ästhetisch-dekorativen Zweck der Siegel-

---

98 Revue Biblique 89 (1982) 118 Anm. 13.
98a Einer der Begründer der modernen Kunstgeschichte, H.WOELFFLIN, hat zu Recht gesagt : "Es ist eine dilettantische Vorstellung, dass ein Künstler jemals voraussetzungslos sich der Natur habe gegenüberstellen können. Was er aber als Darstellungsbegriff übernommen hat und wie dieser Begriff in ihm weiter arbeitet, ist von grösserer Bedeutung als alles, was er der unmittelbaren Beobachtung entnimmt" (Kunstgeschichtliche Grundbegriffe. Das Problem der Stilentwicklung in der neueren Kunst, Basel 17/1984, 268. E.H.GOMBRICH hat für diese fundamentale Einsicht den aphoristisch überspitzten Satz geprägt : "Art is born of art not of nature" (Art and Illusion, Oxford 5/1977, 20 und passim). Die beiden Sätze wollen — banal ausgedrückt — nichts anderes sagen als, dass der Künstler, wenn er sich an die Arbeit macht, stärker von früheren Kunstwerken geprägt ist und geleitet wird, als von irgendwelchen Natureindrücken.

amulette, mit der Phantasie der Künstler und dem horror vacui, der zur Gedankenlosigkeit verleite, zu rechnen (99). Mit diesen und ähnlichen Argumenten ist man einer inhaltlichen Deutung der altorientalischen Bildkunst schon öfter entgegengetreten (100). Aber diese Argumente sind anachronistisch oder ganz einfach falsch. Sie entspringen der fehlenden Vertrautheit mit Bildern, der typisch jüdisch-christlichen Wortgläubigkeit und dem damit verbundenen Misstrauen gegen alles Ikonische.

Es ist a priori ein schlechtes hermeneutisches Prinzip, Dinge, die man nicht versteht, für sinnlos zu erklären. Dafür gibt es viele und berühmte Beispiele. So hat etwa der grosse A.ERMAN noch 1934 das Amduat, das wichtigste ägyptische Unterweltbuch, knapp resümiert und abschliessend das Fazit gezogen : "Das etwa ist der Inhalt des Buches, soweit er sich wiedergeben lässt, und was doch erst dem Buch seinen Charakter verleiht, das sind die unzähligen barocken Einzelheiten, mit denen die wirre Phantasie seines Verfassers es angefüllt hat" (101). Die geduldigen, einfühlsamen und kenntnisreichen Forschungen E. HORNUNGs haben dann aber klar gemacht, dass hier die kühne und konsequente Denkarbeit ganzer Theologengenerationen und nicht die wirre Phatasie eines Einzelnen am Werk war (102).

Was nun den angeblich bloss ästhetisch-dekorativen Zweck der bronze- und eisenzeitlichen Siegelamulette anbelangt, so trifft man selbst heute in Mitteleuropa, d.h. in einer Kultur, in der das rein Aesthetisch-Gefällige eine unvergleichlich grössere Rolle spielt als im alten Orient, schwerlich jemanden, der (oder die) einen figurativen Anhänger oder einen Siegelring trägt, ohne dem Dargestellten eine bestimmte Bedeutung zu geben. Der Schütze, der Widder, das Herz, das Kreuz an der Halskette sollen zwar ästhetisch gefällig sein; aber ich habe noch nie einen Träger oder eine Trägerin gefunden, die mit diesen Objekten nicht eine bestimmte

99 Ebd. 115.
100 Ein klassisches Beispiel dieser Gattung ist die Rezension von F.R.KRAUS, Zu MOORTGAT "Tammuz", in : Wiener Zeitschrift für die Kunde des Morgenlandes 52 (1953) 36-80; manches an der Kritik von KRAUS ist berechtigt, vor allem, dass MOORTGAT schon mit seinem Titel die Literatur bemüht, ohne sie aber wirklich ernst zu nehmen. Er hätte sich besser auf die Bildkunst beschränkt. Aber das ändert nichts an der Tatsache, dass KRAUS von A bis Z als Philologe und Literat und von der Sicht der jüdisch-christlichen Kunst her urteilt (vgl. dazu Anm. 105).
101 A.ERMAN, Die Religion der Aegypter. Ihr Werden und Vergehen in vier Jahrtausenden, Berlin und Leipzig 1934, 234.
102 E.HORNUNG, Das Amduat. Die Schrift des verborgenen Raumes (Aegyptologische Abhandlungen 7) Teil I : Text; Teil II : Uebersetzung und Kommentar Wiesbaden 1963; DERS., Aegyptische Unterweltsbücher (Die Bibliothek der alten Welt) Zürich/München 1972; DERS., Tal der Könige. Die Ruhestätte der Pharaonen, Zürich/München 1982.

inhaltliche Vorstellung verbunden hätte. Und selbst wenn jemand "Exotisches" wie einen Buddha oder eine "Hand der Fatima" an einer Halskette oder einem Armband befestigt hat, weiss er oder sie in der Regel, aus welchem Kulturkreis der Gegenstand stammt, und verbindet damit bestimmte Vorstellungen. Dabei brauchen diese keineswegs mit den genuin buddhistischen oder islamischen genau übereinzustimmen; rein ästhetisch-dekorativ ist der Gegenstand deswegen aber noch lange nicht. Was nun die ägyptischen Siegelamulette betrifft, so hat das bahnbrechende Werk von E.HORNUNG und E.STAEHELIN zu den Basler Skarabäen deutlich gezeigt, wie fruchtbar und überzeugend Siegelamulette inhaltlich gedeutet werden können (103).

Ziemlich anachronistisch ist der Einwand von der frei schwebenden und spielenden Phantasie des Künstlers. Phantasie, Kreativität u.ä. sind weitgehend Begriffe, die erst die Romantik mit dem Künstler verbunden hat. Wer mit altorientalischer Kunst halbwegs vertraut ist, weiss, dass der ganze alte Orient den Künstler als Handwerker verstand, der bestimmte Gegenstände verfertigte, die einen bestimmten Zweck hatten, und dass der ganze Entstehungsprozess von streng traditionellen Faktoren bestimmt wurde (104). Für das freie Spiel der Phantasie blieb da wenig Raum.

Endlich ist der horror vacui kein Argument für die inhaltliche Belanglosigkeit der Siegeldekorationen, ganz im Gegenteil. Man wollte den verfügbaren Raum nützen, um möglichst viele wirksame Zeichen anzubringen. Damit ist natürlich nicht gesagt, dass in mancher Werkstatt nicht ziemlich gedankenlos Gravuren kopiert worden sein können oder Siegelamulette gedankenlos getragen wurden; aber der Exeget, der das "Vater unser" zu interpretieren hat, kann sich um seine Aufgabe auch nicht mit dem Hinweis drücken, es sei oft gedankenlos abgeschrieben und gedankenlos heruntergeleiert worden, z.B. aus Angst in Gefahr, um eine kranke Kuh zu heilen oder aus weiss Gott was für Gründen.

103 Skarabäen und andere Siegelamulette aus Basler Sammlungen, Mainz 1976; vgl. auch KEEL 1980a; G.DALMAN hat schon 1906 bemerkt : "Es ist doch schwer zu glauben, dass dem Israeliten die sakralen Symbole des von ihm am Finger oder auf der Brust getragenen Siegels, mit dem er Dokumente beglaubigte, blosse Verzierungen gewesen seien, die ihm nichts besagten" (DERS., Ein neugefundenes Jahvebild, in : Palästina-Jahrbuch 2 (1906) 44); COOK hat mit Recht darauf hingewiesen, dass das wüste, vom horror vacui bestimmte Durcheinander von Symbolen auf babylonischen Kudurrus kein Argument dagegen sei, jedes Symbol einer bestimmten Gottheit zuzuweisen (DERS. 1930 : 101f.; U.SEIDL, Die babylonischen Kudurru-Reliefs, in : Baghdader Mitteilungen 4 (1968) 7-22).

104 Vgl. dazu z.B. K.-H.MEYER, Kunst, in : W.HELCK/W.WESTENDORF (Hrsg.), Lexikon der Aegyptologie III, Wiesbaden 1980, 872-881 mit zahlreichen Literaturangaben.

Dass die inhaltliche Deutung eines Siegelamuletts wie jede andere Deutung daneben gehen kann, ist klar. Wenn COUROYER am gleichen Ort sagt : "Je suis sûr que les graveurs de certains sceaux seraient confondus par l'exégèse qu'on fait de leurs oeuvres", so könnte man diesen Satz genauso gut auf die Propheten oder Jesus und die Exegese irgend eines ihrer Worte beziehen. Aber die Sicherheti COUROYERs, die "graveurs" (oder die Propheten) auf seiner Seite zu wissen, hilft nichts, solange er keine nekromantischen Fähigkeiten besitzt.

COUROYER statuiert weiter : "En l'absence d'une donnée claire l'interprétation symbolique est essentiellement subjective : on sent ou on ne sent pas". Leider sagt COUROYER nicht, was für ihn eine "donnée claire" ist. Eine "klare Gegebenheit" scheint mir, dass für jene, die Siegeldekoration "Säugende Ziege" und "Skorpion" auf einem Siegelamulett geschaffen haben, diese mehr war als die Abbildung einer säugenden Ziege und eines Skorpions, wie wir sie z.B. in einem Buch über Zoologie finden können; d.h. die Dekoration bedeutet etwas, beschwört etwas, was auf den ersten Blick und vordergründig nicht zu sehen ist. Der sozusagen natürliche Gehalt einzelner Elemente (Säugen als lebensfördernder Vorgang), traditionelle Motivkombinationen (Skorpion und Hieros Gamos, Skorpion im Umfeld der Liebesgöttin) und Sitz im Leben bzw. Funktion (Siegelamulett als lebenssteigerndes, unheilabwehrendes Instrument) gestatten, wie mir scheint, diese Bedeutung nicht nur subjektiv-intuitiv zu erfassen, sondern objektiv zu demonstrieren, wobei auch bei einer guten Demonstration selten alle Zuschauer und Zuhörer zu folgen vermögen, meistens weil ihnen gewisse Voraussetzungen fehlen.

Für COUROYER sind die eben genannten "Gegebenheiten" anscheinend keine solchen. Ich vermute, dass er unter "une donnée claire" einen eindeutigen Text versteht, ähnlich wie H.P.HANSEN, der in der Propyläen Kunstgeschichte schreibt : "Für die inhaltliche Interpretation frühsumerischer Kunst stehen der Forschung leider keine Quellen aus der Zeit selbst zur Verfügung. So muss späteres Textmaterial herangezogen werden, die älteren Darstellungen zu erklären" (105). Die für die frühsumerischen Bildwerke ziemlich groteske Vorstellung, sie würden gleichsam Texte illustrieren und seien ohne diese Texte inhaltlich nicht deutbar, entstammt der vom Wort dominierten jüdischen und christlichen Kultur, wo der Kunst immer wieder energisch die Rolle zugewiesen wurde, heilige Texte zu illustrieren (106). Aber selbst in der von Wort

106 "Die Entwicklung, die die ikonographische Forschung genommen hat, und die Vorstellung die sich von ihrer spezifischen Funktion und ihrer Bedeutung für die gesamte Kunstwissenschaft herausgebildet hat, ist nun aber dadurch stark tangiert worden, dass die Ikonographie zuerst als Ikonographie christlicher Kunst ins Leben gerufen wurde. Die christliche Religion ist eine Buchreligion, ihre Heilswahrheiten sind kodifiziert. Mehr noch, was in den Evangelien berichtet wird, soll seine Glaubwürdigkeit daher empfangen, dass es eine Erfüllung dessen ist, was im alten Testament bereits angekündigt, prophezeit, praefiguriert war. So kann nichts bildlich mitgeteilt werden, was nicht in zweihafter Hinsicht, in doppeltem Sinn buchstäblich und figurativ vor-geschrieben war. Beim bedeutsamsten christlichen Thema, der Kreuzigung, der Selbsthingabe des Erlösers, wird die Auswahl der Darstellungsgegenstände nicht durch einen Augenzeugenbericht bestimmt, sondern durch die Erwähnung von zwei episodischen Momenten im Evangelium, die sich auf die Autorität des Alten Testaments berufen können : "Hernach sagte Jesus, da er wusste, dass sich die Schrift erfüllen sollte — "mich dürstet' " (Psalm 69/22 lautet : "sie gaben mir Essig für den Durst als Trank") und "einer der Soldaten stiess mit der Lanze in seine Seite ... damit die Schrift erfüllt würde : Kein Knochen an ihm soll zerbrochen werden". Es ist unvorstellbar, dass ein griechisches mythologisches Bildwerk gleichsam die Autorität Homers oder Hesiods zitiert oder dass, um es noch krasser auszudrücken, in einer Darstellung des Apollomythus irgendjemand eine Schriftrolle trägt zum Zeichen dessen, dass das Vorkommnis urkundlich verbürgt ist. Kreuzigungen Christi aber gibt es, in denen Christi Lieblingsjünger ein Buch mit sich trät — das Evangelium, welches die Niederschrift des Ereignisses ist, dessen Zeugen wir eben sind...
Wer christliche oder Renaissance-, also humanistische Ikonographie treibt, wird demnach mit Recht bei jeder bildlichen Gestaltung automatisch nach dem direkt oder indirekt sie inspirierenden Text fragen, nach einer literarischen oder wenigstens sprachlich ausgeformten Quelle suchen, auf die sich alle bildkünstlerischen Fassungen des Themas zurückführen lassen. Daraus bildet sich dann stillschweigend die Gewohnheit heraus, dies, die Jagd nach dem Textzitat, als das Wesen aller Ikonographie und Ikonologie anzusehen. In unerlaubter Verallgemeinerung wird unterstellt, jeglicher bildlicher Fassung eines Sinngehalts, ja jedem Bildmotiv müsse eine verbale oder literarische Urfassung und Formulierung vorangegangen sein. Mit einem Wort, man ist a priori überzeugt, dass die bildende Kunst niemals etwas selbst erfindet, dass sie letzten Endes bloss illustriert, was in anderen geistigen Sphären vorhererersonnen worden ist. Ob gewollt oder nicht, resultiert daraus das Bild einer Kunst, die konstant nachhinkt" (O.PAECHT, Methodisches zur kunsthistorischen Praxis, München 1977, 247-249). Wie richtig PAECHT die Problematik sieht, zeigt z.B. ein Zitat des berühmten Philologen B.LANDSBERGERs, der in seiner Einleitung über "Die Religionen der Babylonier und Assyrer", in H.HAAS (Hrsg.), Bilderatlas zur Religionsgeschichte, 6. Lieferung, Leipzig 1925, I, sagt : "In einer Religion, welche uns in ihren Kulten und Vorstellungen so vorzüglich bekannt ist wie die sumerisch-akkadische..., müssen dem Historiker die Erzeugnisse der bildenden Kunst naturgemäss (sic!) in erster Linie dazu dienen, die Ergebnisse der literarischen Quellen zu veranschaulichen". Zur tatsächlichen Lage in puncto literarische Quellen etwa zur frühsumerischen Religion vgl. Anm.105.

und Text dominierten jüdisch-christlichen Kultur hat sich die grundsätzlich eigenständige Bildtradition nur schwer dieser Rolle bequemt,
wie besonders die Anfänge der christlichen Kunst zeigen (107). Die inhaltliche Interpretation der altorientalischen Kunst ist von nichts so be-
lastet worden, wie vom Irrtum, sie illustriere Texte. Zuerst hat man
zahllose Bilder auf das Gilgameschepos bezogen (108), dann versuchte
es MOORTGAT mit Tammuz (109). Beide Versuche erwiesen sich als

107 A.GRABAR hat in seinem Standardwerk "Christian Iconography.
A Study of Its Origins" (London 1969) mit aller wünschbaren Deutlichkeit gezeigt, welche
Mühe die frühe christliche Kunst hatte, sich von der Schwerkraft der vorgegebe-
nen heidnischen und jüdischen Bildtraditionen zu emanzipieren und eine eigene,
ihren mündlichen und literarischen Traditionen entsprechende Bildtradition zu
schaffen; G.J.HOGEWERFF, in E.KAEMMERLING (Hrsg.), Bildende Kunst als
Zeichensystem 1. Ikonographie und Ikonologie. Theorien, Entwicklung, Probleme
(Du Mont-Taschenbücher 83), Köln 1979, 91 und 110, der die These vertritt,
die christliche Kunst hätte nie etwas anderes gemacht als die in den hl. Texten
formulierten Vorstellungen illustriert, zitiert als Beweis ein Dekret des 2. Kon-
zils von Nicäa (787 n.Chr.), das vorschreibt : "Non est imaginum structura picto-
rum inventio, sed Ecclesiae Catholicae probata legislatio et traditio". Eine solche
Forderung zeigt aber gerade, dass die Maler dazu neigten, ihre eigene Tradition
zu entfalten und nicht den Texten zu folgen.
Ein interessantes neueres Beispiel für die kreative Schau eines bildenden Künstlers
innerhalb der so stark wortbestimmten jüdisch-christlichen Tradition bilden die
Kreuzigungsbilder M.CHAGALLS. Während die Juden durch Jahrhunderte nicht
nur historisierend, sondern auch aktualisierend von der Literatur und den bildenden Künsten als Verfolger und Peiniger Jesu und seiner Jünger dargestellt wurden,
hat M.CHAGALL in einer Reihe von Bildern, die zwischen 1937 und 1953
entstanden sind, unter dem Eindruck der Naziverbrechen an den Juden und iko-
nisch u.a. an P.GUAGUIN ("Der gelbe Christus", 1889) anlehnend den gekreuzig-
ten Jesus als Vertreter der (um des Reiches Gottes willen) verfolgten und zu Tode
gemarterten Juden dargestellt. Wenn auch manche dieser Bilder nicht die Klarheit
eines Programms erreichen, so zeigen sie doch, wie ein bildender Künstler mit
der Empfindsamkeit eines Seismographen ausgestattet, eine neue Sicht inaugurie-
ren kann, eine Sicht, die in der theologischen Literatur im Gefolge des Holocaust
erst erheblich später und viel zaghafter Ausdruck gefunden hat (vgl. dazu H.M.
ROTERMUND, Marc Chagall und die Bibel, Lahr 1970, 111-138).

108 So z.B. O.WEBER in seinem wichtigen Werk : Altorientalische Siegelbilder (Der
Alte Orient 17/18), Leipzig 1920, 14-81, bes. 15 : "Nirgends lässt sich die vollkommene Freiheit, mit der der Künstler seinem Stoff gegenübersteht, deutlicher
nachweisen als an den Bildern aus dem Kreis der Gilgamesch-Sage. Dem gehören
weitaus die Mehrzahl aller mythologischen Siegelbilder an". H.POTRATZ bemerkt
dazu in seiner Rezension von MOORTGATs "Tammuz" : Die mehr als 50 Jahre
lang von den Assyriologen als 'Gilgamesch-Motiv' angesprochene Szenerie musste
erst von den klassischen Archäologen L.CURTIUS und C.HEIDENREICH auf
ihre tatsächliche Bildaussage klargestellt werden" (Orientalistische Literaturzeitung 50 (1955) Sp. 347).

109 A.MOORTGAT, Tammuz. Der Unsterblichkeitsglaube in der altorientalischen
Bildkunst, Berlin 1949; vgl. Ueberschriften wie die S. 27 "Bildkunst als Spiegel
des Tammuz-Mythus", S. 35 "Die Bildkunst als Spiegel des Tammuz-Kultes".
Dieser Punkt der Arbeit MOORTGATS ist zu Recht scharf kritisiert worden (vgl.
Anm.100).

völlig verfehlt. Wie gut sich frühsumerische Kunst auch ohne Texte interpretieren lässt, hat z.B. auf ganz unprätentiöse Weise W.RÖLLIG gezeigt (110).

Ganz ähnlich wie B.COUROYER hat auch M.HARAN in seiner Besprechung meines Buches "Das Böcklein in der Milch seiner Mutter und Verwandtes" argumentiert. Auch er meint, die Kombination von säugender Ziege und Skorpion könne "as mere conventional adornment" gebraucht worden sein. Da HARAN von der Berechtigung seiner Deutungsverweigerung selber nicht so ganz überzeugt zu sein scheint, versucht er das Argument zusätzlich noch etwas zu verstärken : "Those relatively few representations that have turned up in Palestine (and the styles of which are clearly not local) can hardly bear evidence of a local belief in some sort of divine-numinous power sustaining life and motherhood" (111). Ich habe in meinem Buch auf fünf konische Siegel und einen Skaraboiden hingewiesen, die in Schichten des 10. - 8. Jahrh.s v.Chr. in Megiddo, Taanach, Sichem, auf dem Tell Fara'-Nord (Tirza), auf dem Tell en-Naṣbeh und in Bet-Schemesch gefunden worden sind. Der Stil der Stücke ist recht unterschiedlich. Woher HARAN weiss, dass diese Stile "clearly not local" sind, entzieht sich meiner Kenntnis. Was die Zahl anbelangt, so habe ich darauf hingewiesen, dass ich nicht exhaustiv sein kann. Inzwischen habe ich einige zusätzliche Belege gesammelt.

---

110 In B.GLADIGOW (Hrsg.), Staat und Religion, Düsseldorf 1981, 117. RÖLLIG charakterisiert rein aufgrund der Ikonographie das Oberhaupt des frühsumerischen Tempelstaates u.a. mit folgenden Worten : "Archäologisch fassbar ist auch der Kopf dieser Organisation, denn zahlreiche Denkmäler, kleine wie Rollsiegel, grössere wie die Löwenjagdstele oder die Kultvase aus Uruk, zeigen uns an zentraler Stelle eine Figur, die nur der Herrscher bzw. Priesterfürst sein kann. Er erscheint im Netzrock, der ihm bis zu den Waden reicht, trägt Bart und eine Kalottenmütze, das Haar im Nacken geknotet. Er ist — nach der kaum zu missdeutenden Aussage der Siegel — der Beschützer der Herde, des Milch und Fleisch spendenden Rindes und Schafes, er ernährt die domestizierten Tiere. Er ist auf der sogenannten Jagdstele im Kampf mit dem Löwen dargestellt, den er erlegt — ein uraltes Privileg des Fürsten, hier sicher nicht aus dem nur ihm vorbehaltenen Waffenbesitz abzuleiten. Vielmehr steht der Fürst hier stellvertretend für sein Volk, schützt das zivilisierte Land, das domestizierte Tier vor dem anspringenden Löwen, dem Symbol der Wildnis. Der Mann im Netzrock hat aber auch und vor allem kultische Funktionen : Er fährt auf dem Schiff in der Götterprozession auf den Kanälen von seiner Stadt zur zentralen Kultstadt Nippur, er steht — auf der Kultvase — an prominenter Stelle der Göttin gegenüber, leitet die Opferhandlung. Er ist sicher kein Gott, aber als oberster Priester herausgehoben unter den Menschen."

111 Journal of Biblical Literature 103 (1984) 98; vgl. schon Tarbiz. A Quarterly for Jewish Studies 52 (1983) 371-392.

An die sechs Belege, die eine säugende Ziege (in einem Falle einen Hirsch!)
in Verbindung mit einem Skorpion zeigen, sind weiter anzuschliessen :
ein Skarabäus aus Megiddo (Abb.1) (112), ein Konoid aus Bergkristall
vom Tell Fara'-Süd, der in einem von den übrigen Stücken noch einmal
ganz verschiedenen, durch Bohrlöcher charakterisierten Stil gearbeitet
ist (Abb.2) (113), ein Skaraboid, der wahrscheinlich vom Tell en-Naṣbe
stammt (Abb.3) (114), ein weiterer unveröffentlichter Konoid in der
Sammlung CLARK (Abb.4) (115) und ein Konoid, den der Verfasser
im Oktober 1984 bei einem Antiquitätenhändler in der Jerusalemer
Altstadt gesehen hat (Abb.5) (116). Neben den von sechs auf elf ange-
wachsenen vollständigen Belegen gibt es eine ebenso grosse Anzahl un-
vollständiger. Capriden mit einem Skorpion kombiniert (ohne säugendes
Junges) finden sich auf zwei Siegeln aus Megiddo (Abb.6 und 7) (117)
und auf einem für Judäa typischen Skaraboiden aus Bein, der in Lachisch
gefunden worden ist (Abb.8) (118). Zwei säugende Ziegen sind auf einem
grossen Skaraboiden aus Dor (Abb.9) (119), auf einem Konoid von Tell
en-Naṣbe (Abb.10) (120) und einem Konoid aus Geser (Abb.11) (121)
zu sehen. Bei den drei zuletzt genannten Stücken könnte das schwer deut-

112 LOUD 1948 : Pl. 152, 192.
113 F.PETRIE, Beth Pelet I (Tell Fara) (Egyptian Research Account 48), London
    1930, 10 Pl. 29, Nr. 281; die Zeichnung bei PETRIE ist ungenau, sie konnte auf-
    grund des Originals im Institute of Archaeology in London verbessert werden.
114 Das Stück befindet sich im Pittsburgh Theological Seminary; Inventarnr. 04-1;
    Elfenbein (Bein ?); Länge 15 mm; Breite 12 mm; Dicke 7 mm; ich danke Frau
    Prof. N.LAPP für die Photos und die Publikationserlaubnis; beim Gegenstand vor
    der säugenden Capride kann man sich streiten, ob es sich um einen Zweig (ein
    Bäumchen) oder einen Skorpion handle; bei den viel schöner geschnittenen
    Stücken aus Taanach und Megiddo erscheint an der gleichen Stelle ein Skorpion
    (KEEL 1980 : 115f.), ein Skorpion, der nur die beiden Scheren und zwei
    Beine hat ist auf einem Konoid aus Bet Schemesch (Ebd.) zu sehen.
115 Nr. 137 der Sammlung, die heute im YMCA Building gegenüber dem King David
    Hotel in Jerusalem untergebracht ist; bräunlicher Kalzit; Durchmesser an der Basis
    13,8 mm; Höhe 13,5 mm. Ich danke Fau M.MESCHEFSKE, der Betreuerin der
    Sammlung, für die Erlaubnis das Stück studieren und veröffentlichen zu dürfen.
116 Schwärzlicher Kalzit; Basis : 21,7 x 22,6 mm; Höhe 21,1 mm; ich danke dem
    Händler ABU YASSER in der Nähe des Löwentores dafür, dass ich das Siegel
    studieren durfte.
117 LOUD 1948 : Pl. 163, 19 und 20.
118 O.TUFNELL, Lachish III, The Iron Age, London 1953, Pl. 44,91.
119 Das Stück ist auf einem Prospekt für die von E.STERN geleitete Grabung abge-
    bildet; schwärzlicher Stein (Kalzit?); 32 x 28 mm; Höhe 23 mm.
120 MC COWN 1947 : 296 Pl. 55,67; das Stück befindet sich im Rockefeller Mu-
    seum; Inventarnr. 34.97.
121 MACALISTER 1912 : II Fig. 437 Nr. 6; das Stück befindet sich im Rockefeller
    Museum in Jerusalem; Inventarnr. J. 485.

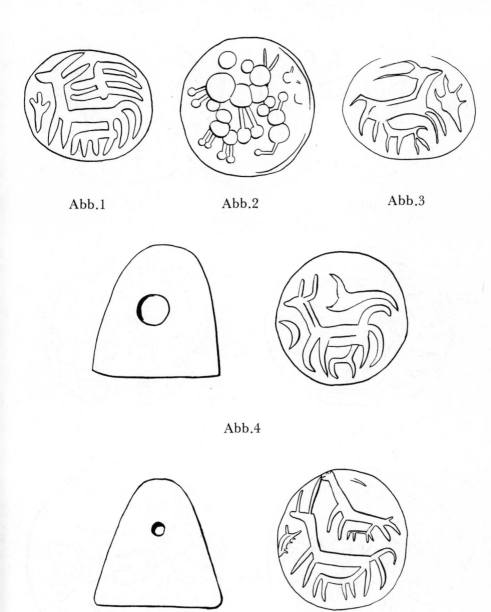

Abb.1   Abb.2   Abb.3

Abb.4

Abb.5

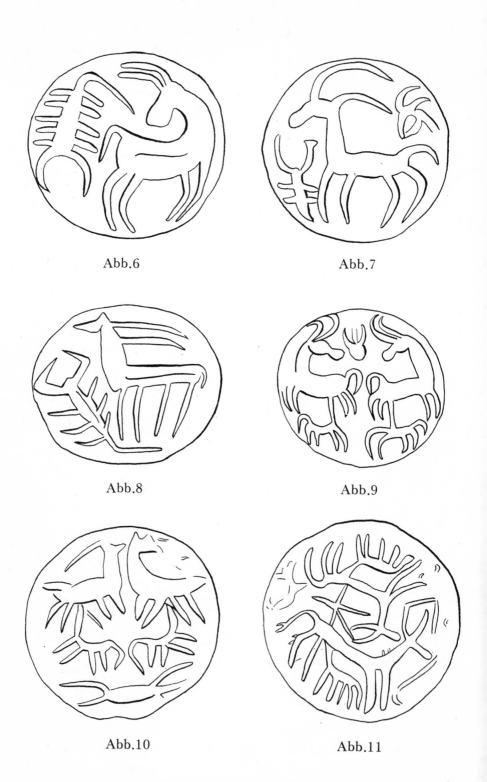

Abb.6

Abb.7

Abb.8

Abb.9

Abb.10

Abb.11

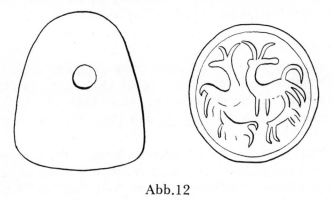

Abb.12

Abb.13   Abb.14   Abb.15

Abb.16

bare Element zwischen den Köpfen der säugenden Ziegen (Abb.9) bzw. unter den saugenden Jungen (Abb.10) bzw. zwischen den beiden Hinterteilen der Alttiere (Abb.11) den traditonellen Skorpion oder ein Relikt desselben darstellen.

Zwei säugende Ziegen ohne Spur eines Skorpions finden sich auf einem weiteren Konoid der Sammlung CLARK (Abb.12) (122). Eine säugende Ziege ist auf einem Konoid aus Geser (Abb.13) (123), auf zwei Konoiden vom Tell en-Naṣbe (Abb.14 und 15) (124) und einem vom Tel 'Eton (Abb.16) (126) zu sehen.

Das Belegmaterial für den numinosen Charakter der säugenden Ziege ist damit von 6 auf 22 Stück angewachsen. Diese wurden an 12 verschiedenen Orten zwischen Megiddo und dem Tell Fara' im Nachal Besor gefunden. Ueber kurz oder lang wird neues Material dazukommen, denn das bekannt gewordene und publizierte Material ist ja in der Regel nur die Spitze eines Eisbergs von Material, das noch nicht bekannt und noch nicht gefunden ist. Aber das wird HARAN kaum beeindrucken, denn für ihn wird wohl ähnlich wie für COUROYER alles "with no basis in... epigraphic sources" nichts als vage und letztlich unbegründete Vermutung bleiben (127). Es gibt Gruppen und Kreise von Wissenschaftlern, die lesen, aber nie sehen gelernt haben. Das kann man niemandem verargen. Nur gilt es, die Grenzen seiner Kompetenzen zu erkennen.

Wenn aus Schichten des 10. und 9. Jahrhunderts v.Chr. an 11 Orten in Israel 22 Ostraka mit dem Namen "Netanja", "Netanjahu" oder der Kurzform "Natan" auftauchen würden, und daraus das Fazit gezogen würde, der Name Natanja sei im 10. und 9. Jahrhundert ein in Israel bekannter und verbreiteter Name gewesen, würde kaum jemand das Gegenteil behaupten. Das gleiche Fazit aber bestreitet man da, wo es sich um ein Bildmotiv handelt. Was soll man da denken ?

122 Vgl. Anm. 115; grüngrauer, olivfarbener Stein; Durchmesser der Basis 23,5 mm; Höhe 25 mm.

123 MACALISTER 1912 : II 295, Fig. 473 Nr. 5; das Stück ist im Rockefeller Museum in Jerusalem, Inventarnr. J. 486.

124 MC COWN 1947 : 296, Pl. 55, 59; das Stück befindet sich im Rockefeller Museum, Jerusalem Inventarnr. 35.3100; ebd. 295 Pl.54,28; das Stück befindet sich im Pacific School of Religion Museum, Berkeley Inventarnr. M 2300 (Anm.125 fehlt.)

126 Das Stück wurde von G.EDELSTEIN ausgegraben; schwärzlicher Stein (Kalzit?); Basis-Durchmesser : 16 mm; Höhe : 8 mm; das Stück befindet sich im Besitz des Israel Department of Antiquities and Museums; ich danke dem Ausgräber und dem Department für die Publikationserlaubnis.

An die eben angeführten glyptischen Belege wären noch andere anzuschliessen, so z.B. die Bronzefigurine einer säugenden Ziege mit zwei Jungen aus einer Schicht des 10./9. Jahrh. v.Chr. vom Tell el-Ḥasi (F.J.BLISS, A Mound of Many Cities, or Tell el-Hesy excavated, London 2/1898, 67f. und Abb.110).

127 Journal of Biblical Literature 103 (1984) 98.

V.

Sooft man sich für das Vorkommen und die Verbreitung eines bestimmten Bildmotivs im biblischen Israel interessiert, sieht man sich gezwungen, das Material zu sichten, das in Hunderten von Publikationen verstreut vorliegt und in Dutzenden von Museen und Sammlungen aufbewahrt wird, soweit es nicht total verschollen ist. Auf die unvollständige und vielfach mangelhafte Publikation des Ausgrabungsmaterials im allgemeinen wurde oben schon hingewiesen. Auf die speziell schlechte Situation beim glyptischen Material hat neulich O.TUFNELL in ihrem Monumentalwerk zu den Skarabäen der Mittelbronzezeit aufmerksam gemacht (128).

So entschloss ich mich 1981 mit Hilfe von Dr. K.JAROŠ, Dr. B.JAEGER und mit der Unterstützung anderer Mitarbeiterinnen und Mitarbeiter und in Koordination mit der Arbeit an den ägyptischen Skarabäen, die Prof. E.HORNUNG und Frau Dr. E.STAEHELIN vom ägyptologischen Seminar der Universität Basel seit langem leisten, einen möglichst umfassenden Katalog der Skarabäen und anderen Stempelsiegel der Bronze- und Eisenzeit zu erstellen, die in legalen Grabungen oder als Oberflächenfunde bekannter Herkunft in Palästina/Israel gefunden worden sind. Finanziell wird das Unternehmen auf fünf Jahre befristet vom Schweizerischen Nationalfonds unterstützt.

Der Versuch, einen solchen Katalog vorzulegen, stösst allerdings auf enorme Hindernisse. Das mag das Beispiel Jericho (Tell es-Sulṭān) etwas veranschaulichen. Die sehr unzulänglich veröffentlichten Stücke, die die deutsch-österreichische Grabung von 1907-1909 zutage gefördert hat, sind entweder bei der Bombardierung von SELLINS Haus in Berlin im Jahr 1945 zerstört worden oder liegen für uns (vorläufig?) noch unzugänglich in Istanbul. Von den 165 Skarabäen, die J.GARSTANG während seinen Ausgrabungen in Jericho von 1930-1934 gefunden hat

---

128 TUFNELL 1984 : 1. "Scarab seals recovered from excavations in Palestine are seldom adequately published in field reports, and details of style are usually omitted, with the result that much potential information is lost"; vgl. auch A. ONASCH, Zur Publikation ägyptischer Skarabäen, in : Orientalistische Literaturzeitung 79 (1984) 439-446.

(129), sind nur 113 Stück veröffentlicht (130), während der Rest unpubliziert in verschiedenen Museen liegt. Von den 52 unveröffentlichten Stücken haben wir bis heute 29 Stück ausfindig machen und die Publikationserlaubnis dafür erhalten können (130a). Der Rest ist (vorläufig?) verschollen. Die Stempelsiegel, die zwischen 1952 und 1958 von der Expedition K.KENYONS in Gräbern in Jericho gefunden worden sind, hat D.KIRKBRIDE veröffentlicht (131). Aber selbst diese neuere Publikation ist nicht vollständig. In einem Brief vom 15. Mai 1984 schreibt C.A. LAWLER von der Universität von Sydney : "The Nicholson Museum has ... 44 scarabs from Jericho Tombs E.1. (17), B. 35 (18) and B. 47 (9). Those from Jericho Tomb E.1 appear not to have been published in Jericho II". Das hat sich als richtig herausgestellt. Aber abgesehen davon, dass selbst die Skarabäen- bzw. Stempelsiegelfunde dieser jüngsten Jericho-Grabung nicht vollständig publiziert sind, stimmt auch die in Jericho IV veröffentlichte Verteilungsliste (132) nur sehr beschränkt. So konnte ich z.B. von 41 Stücken, die aufgrund dieser Liste in der American School in Jerusalem aufbewahrt werden sollten, anlässlich meines Besuchs vom 23. Oktober 1984 dort kein einziges Stück finden, und niemand wusste, wohin die Stücke gekommen sind. Von den 5 Skarabäen, die sich laut Katalog in dem rekonstruierten MB II B-Grab aus Jericho im Rockfeller-Museum in Jerusalem befinden sollen, war im Oktober 1984 noch ein einziger zu finden. Während diese Stücke erst nachträglich verschwunden sind, scheinen andere gar nie an ihrem Bestimmungsort angekommen zu sein. Das ist umso bedenklicher, als in Jericho II das ganze Material von KENYON, wie schon dasjenige GARSTANGs, in Strichzeichnungen, nicht aber in Photos veröffentlicht ist.

129 J.GARSTANG, Jericho : City and Necropolis. Fourth Report, in : Annals of Archaeology and Anthropology. University of Liverpool 21 (1934) 130; ich vermute, dass GARSTANG bei diesen 165 Stück auch die wenigen Skaraboiden u.ä. Funde mitgezählt hat.

130 79 Stück in ROWE 9136 : 338 und 346; die auf S. 346 mitgezählten 4 Abdrücke sind hier nicht mitgezählt; 34 weitere Stück bei J.GARSTANG, Jericho : City and Necropolis, in : Annals of Archaeology and Anthropology. University of Liverpool 19 (1932) 47f., 50f., 53 und Pl. 37f.; Ebd. 20 (1933) 8f., 21ff., 28f., 36f. und Pl. 26; Ebd. 21 (1934) 130f.; 1 Stück bei L.SPELEERS, Jéricho, in : Bulletin des Musées Royaux d'Art et d'Histoire 3/5 (1934) 102.

130a Die 29 von uns bisher ausfindig gemachten, unpublizierten Stücke liegen in Aberdeen, Birmingham, Glasgow, Liverpool und Paris (Louvre).

131 In K.M.KENYON, Excavations at Jericho II, London 1965, 580-655 (425 Stück).

132 K.M.KENYON/T.A.HOLLAND, Excavations at Jericho IV, London 1982, 638-642.

Trotzdem es heute also aussichtslos zu sein scheint, das gesamte in Jericho gefundene Stempelsiegelmaterial ausfindig zu machen, und unser Katalog sich damit begnügen muss, ein möglichst umfangreiches Material möglichst adäquat zu veröffentlichen, steht es um das Jerichomaterial im Vergleich mit anderen Ausgrabungsorten nicht etwa besonders schlecht. Es gibt Orte, um die es erheblich schlechter (Beispiel: Geser!), andere um die es erheblich besser (Beispiel: Lachisch!) steht.

Die Riesenarbeit, die die Erstellung dieses Katalogs bedeutet, hat aber nur Sinn, wenn sie als Basis dazu dient, eine Geschichte des Stempelsiegels in Palästina/Israel zu schreiben. Diese wäre ein markanter Beitrag zur Stempelsiegelforschung überhaupt. Denn die meisten bisher publizierten Skarabäen- und anderen Stempelsiegelsammlungen stammen aus dem Handel und sind so ohne jeden archäologischen Kontext. In Palästina/Israel liegt ein riesiges Material aus datierten Schichten vor.

Aber die Chronologie hat ihrerseits nur Sinn als Basis für eine geschichtliche, bei diesem Material speziell religionsgeschichtliche Darstellung.

Wie bereits gesagt, ist das Stempelsiegel der häufigste und motivreichste Bildträger, der in Palästina/Israel gefunden worden ist. Von der Mittelbronzezeit an gibt es eine kontinuierliche Tradition, die sich über die verschiedenen Phasen der Spätbronze- und der Eisenzeit hinweg bis in die Perserzeit erstreckt. Damit steht das Stempelsiegel als Bildträger in Palästina/Israel einzig da und ist geeignet, die Rolle zu übernehmen, die das Zylindersiegel für die Kunstgeschichte Mesopotamiens spielt. Allerdings ist für Palästina/Israel im Gegensatz zu Mesopotamien nicht mit einer kontinuierlichen Stilentwicklung zu rechnen. Dafür war das winzige Land fremden Einflüssen und Importen stets allzu sehr ausgesetzt, noch weit mehr als das in Mesopotamien der Fall war. Wozu das Dekorationsmaterial der Stempelsiegel aber Hand bietet, ist eine Geschichte der ikonographischen Themen, die in diesem Lande im Umlauf waren. Denn das auf anderen Bildträgern überlieferte Bildmaterial kann weitgehend an das jeweilige ikonographische Repertoire der Stempelsiegel angeschlossen werden.

Die Geschichte der zu einer bestimmten Epoche in Palästina/Israel gängigen Themen und ihrer Herkunft ist die Voraussetzung für eine ikonologisch-ideengeschichtliche Interpretation des Materials . Die unter Abschnitt IV. vorgeführte Aufstockung der Belege für ein bestimmtes Thema von sechs auf zweiundzwanzig war nur dank der Arbeit am "Katalog" möglich. Sie ist für die Tragfähigkeit der ideengeschichtlichen Interpretation von grosser Bedeutung. Die Ausarbeitung dieser Geschichte wird zeigen, dass die Ikonographie neben den literarischen und epigraphischen Zeugnissen eine wichtige Quelle für die Religionsgeschichte Palästina/Israels darstellt. Bevor Ikonographie und Literatur in sinnvolle Beziehung

gesetzt werden können, muss aber zuerst sorgfältig der ikonographische
Bestand erhoben werden.

VI.

Als letzter Bildträger seien endlich die **Amulette** genannt, die in
Palästina/Israel nicht ausschliesslich, aber meist ägyptischer Herkunft
sind. Sind die Stempelsiegel von der archäologischen Forschung bis heute
stark vernachlässigt worden, so haben die Amulette überhaupt keine Beachtung gefunden. Selbstverständlich sind sie in mehr oder weniger sorg-
fältigen Grabungsberichten mitpubliziert worden. R.A.S.MACALISTER
behandelt im Bericht über seine Ausgrabungen in Geser (1902-1909)
in zwei Abschnitten die Amulette. Im Abschnitt über die ägyptischen
und ägyptisierenden Amulette (133) stellt er eingangs fest : "A very large
number of these came to light. Representative specimens are shown in
Pl. CCX." Dort sind 79 Stück abgebildet. Wieviele Stücke nicht veröffentlicht sind, ist unklar. Ebenso wenig ist bekannt, wo die Originale heute
zu finden sind. Die Beschreibung der veröffentlichten Stücke weckt kein
grosses Zutrauen in die einschlägigen Kenntnisse MACALISTERS. Eine
als Nr. 13 abgebildete hockende Katze wird als Schakal identifiziert, und
der als Nr. 79 abgebildete Nefertem als Isis (134). Die Qualität der Zeichnungen dürfte unter dieser Unkenntnis gelitten haben, doch ist das ohne
Photos und Originale schwer zu kontrollieren. Aus dem Model für ein
Beskopfamulett (135) hat MACALISTER geschlossen, dass diese ägyptischen und ägyptisierenden Amulette auch lokal hergestellt worden seien.
In einem weiteren Abschnitt (136) gruppiert er anikonische Metall-,
Knochen- und Steinamulette. Auch diese 62 Stück stellen anscheinend
nur eine kleine Auswahl dar.

Während MACALISTER die archäologischen Funde noch in der Weise
J.G.WILKINSONS (137) und A.H.LAYARDS (138) zu einer "Kultur-

133 MACALISTER 1912 : II 331-334 und Pl. CCX.
134 Ebd. 332.
135 Ebd. Pl. 210,17.
136 Ebd. 449-453 und Pl. CCXXVI.
137 The Manners and Customs of the Ancient Egyptians. Including their Private
    Life, Government, Laws, Arts, Manufactures, Religion, Agriculture, and Early
    History, 3 Bände, London 1837.
138 Niniveh and its Remains : With an Account of a Visit to the Chaldean Christians
    of Kurdistan, and the Yezidis, or Devil-Worshippers; and an Enquiry into the
    Manners and Arts of the Ancient Assyrians, 2 Bände, London 1849.

geschichte" zusammenstellt, ist der Bericht über die Megiddo-Grabungen (1925-1939) des Oriental Institute in Chicago strikt nach Ausgrabungsfeldern und -straten organisiert, wenn im Tafelteil die Amulette dann auch auf eigenen Tafeln zusammengestellt sind. Aus den bronzezeitlichen Schichten stammen 73 ägyptische oder ägyptisierende (139) und etwa 40 anikonische Amulette mit verschiedenen Ornamenten (140), aus den eisenzeitlichen 75 ägyptische und ägyptisierende (141) und ca. 50 anikonische Belege (142). Trotz dieser immerhin beachtlichen Mengen an Material ist H.G.MAY nicht auf die Idee gekommen, die Amulette in seine systematische Darstellung der "Material Remains of the Megiddo Cult" (143) einzubeziehen. Einzig ein halbes Dutzend kleine Beine aus Ton, die offensichtlich als Anhänger gedient haben, werden aufgeführt, und es wird dafür plädiert, dass es sich um Amulette handeln müsse (144).

Aehnliche oder grössere Quantitäten von Amuletten wie in Geser oder Megiddo sind auf dem Tell el-'Ajjul, dem Tell Fara' (Süd), in Lachisch, Bet-Schemesch und an andern Orten gefunden worden, und kleine Mengen kommen bei jeder Grabung zum Vorschein. Das geringe Interesse an ihnen zeigt sich auch darin, dass A.ROWE in seinem Katalog der Bestände des Rockefeller-Museums nur 88 Amulette veröffentlichen konnte (145). Die zuständige Behörde war da offensichtlich grosszügig und hat die Amulette weitgehend den Ausgräbern überlassen. Soweit ich sehe, befassen sich nur sehr summarische Lexikonartikel u.ä. mit den in Palästina/Israel gefundenen Amuletten (146). Selten und ausnahmsweise beschäftigt sich einmal eine Arbeit mit einer einzelnen Gruppe von ihnen (146a). Die systematische Sammlung und Bearbeitung aller in Israel gefundenen Amulette ist ein dringendes Desiderat.

Das radikale Desinteresse an den Amuletten scheint mir gerade beim Bibliker nicht angebracht. Denn es ist doch eigentlich damit zu rechnen, dass diese auch in der Eisenzeit zahlreich kursierenden Objekte ihre Spuren in den biblischen Texten hinterlassen haben. Wenn sie auch weitgehend als Importstücke, als Reiseandenken, als Requisiten des Aberglau-

139 LOUD 1948 : Pl. 205f.
140 Ebd. Pl. 207-218 passim.
141 LAMON/SHIPTON 1939 : Pl. 74f.
142 Ebd. Pl. 77, 96f. und 100f. passim.
143 (Oriental Institute Publications 26), Chicago 1935.
144 Ebd. 25 und Pl. 21.
145 1936 : 267-282 und Pl. 30f.
146 Vgl. etwa GALLING 1977 : 10f.; H.HAAG (Hrsg.), Bibel-Lexikon, Zürich 2/1968, Sp. 68ff.; G.A.BUTTRICK (Hrsg.), The Interpreter's Dictionary of the Bible I, Nashville-New York 1962, 122.
146a Vgl. z.B. E.STERN, Phoenician Masks and Pendants, in : Palestine Exploration Quarterly 108 (1976) 109-118.

bens und in ähnlichen Rollen nach Israel gelangt sein sollten, so wechseln solche doch nie von einer Kultur in eine andere, ohne wenigstens Fetzen des Vorstellungsbereiches mit sich zu bringen, dem sie ursprünglich zugehören.

Es ist immer wieder darauf hingewiesen worden, dass zu den Accessoires, die in Jesaja 3,18-21 aufgezählt werden, auch Amulette gehört haben. Dazu dürfen mit Sicherheit die auch sonst erwähnten und archäologisch belegten (147) "Möndchen" (*saḥa rōnīm*; Jesaja 3,18 und Richter 8,21), die *leḥašīm* "Zauber" (Jesaja 3,20) und die *battē ha-nepeš* "Lebensgehäuse", "Lebensschutz" (Jesaja 3,20) (148) zu rechnen sein.

Aber auch bei manchen andern Stellen, bei denen die Kommentatoren bisher nicht an Amulette gedacht haben, ist vielleicht an solche zu denken. In Ezechiel 20,2-26.30f. (149) wird ähnlich wie in Ez 14,1-11 eine Befragung des Propheten mit dem Hinweis auf den Götzendienst der Befrager zurückgewiesen. Im Gegensatz zu Kap. 14 wird in Kap. 20 nicht auf gegenwärtige Sünden, sondern auf solche innerhalb des bereits kanonisch festgelegten Ablaufs der Geschichte Israels verwiesen. Manche dieser Sünden sind aber keineswegs in der Tradition belegt. Sie müssen entweder ganz einfach erschlossen oder aber der Gegenwart entnommen sein. Das gilt z.B. für den in Ez 20,7f. erhobenen Vorwurf des Kults der ägyptischen Götzen, von dem in der älteren Ueberlieferung nichts gesagt wird. In Ez 20,7f. aber erhebt JHWH den Vorwurf : "Und ich sprach zu ihnen : 'Werft ein jeder die Scheusale, an denen seine Augen hängen, weg und verunreinigt euch nicht an den Mistdingern (*gillule*) Aegyptens, ich bin JHWH, euer Gott. Aber sie waren widerspenstig gegen mich und waren nicht willens auf mich zu hören. Keiner warf die Scheusale weg, an denen seine Augen hingen, und von den Mistdingern Aegyptens liessen sie nicht ab."

Man kann das "Wegwerfen" und das "Ablassen" in übertragenem Sinne rein geistig verstehen. Dann kann man auf grosse und kostbare ägyptische Götterbilder aus Stein und Metall verweisen, wie sie in ägyptischen Tempeln gefunden worden sind (150). Aber ist ein solcher, rein

147 R.M.BOEHMER, Die Kleinfunde von Bogazköy (Wissenschaftliche Veröffentlichungen der Deutschen Orient Gesellschaft 87), Berlin 1972, 1934; WINTER 1983 : Abb. 318 (Bild einer Göttin mit drei Möndchen am Hals).
148 Vgl. dazu H.WILDBERGER Jesaja I (Biblischer Kommentar. Altes Testament X/1), Neukirchen 1972, 143.
149 Zum literarkritischen Problem vgl. W.ZIMMERLI, Ezechiel (Biblischer Kommentar. Altes Testament XIII/1), Neukirchen-Vluyn 1969, 437-441.
150 B.MAZAR u.a. (Hrsg.), Illustrated World of the Bible Library. 3. The Latter Prophets, New York 1961, 175.

innerlicher Bezug zu fernen Göttern und Götterbildern wahrscheinlich ? Liegt es nicht näher, dieses "Wegwerfen" und "Ablassen" nicht nur innerlich, sondern auch konkret zu verstehen ? Und dann ist an kleine ägyptische Götterfiguren aus Fayence zu denken, die auch im Israel der späten Eisenzeit noch weit verbreitet waren, wie archäologische Funde zeigen. Aber es soll hier nicht versucht werden, eine Uebersicht über all jene hebräischen Termini und jene Bibelstellen zu geben, die mit mehr oder weniger grosser Wahrscheinlichkeit auf Amulette gedeutet werden können oder müssen (151).

Es soll nur generell darauf hingewiesen werden, dass in dem hier summarisch abgesteckten archäologischen, ikonographischen und exegetischen Feld noch Aufgaben der Lösung harren, die nicht darin bestehen, "das in den ... Bibliotheken versammelte Kaleidoskop der alttestamentlichen (und archäologischen !) Wissenschaft ein weiteres Mal etwas anders zu schütteln" (152). Vielmehr wird mit einer Geschichte der Ikonographie Palästina/Israels eine Landschaft kartographiert, von der zwar einzelne Gipfel und Inseln schon bisher bekannt gewesen sind, die aber bisher als ganzes noch nie systematisch aufgenommen worden sind und deren exegetische Verwertung so nicht möglich war.

Die folgende Arbeit von Frau S. SCHROER stellt den Versuch dar, ein einzelnes Motiv, das bisher nur im Rahmen der Rollsiegel, der Metallarbeiten, der Funde vom Tell Beit-Mirsim, der Hyksos-Skarabäen und unter anderen ähnlich beschränkten Gesichtspunkten angegangen worden ist, systematisch zu untersuchen. Dabei zeigt sich, dass das Bild des "Mannes im Wulstsaummantel" ein beherrschendes Element der Vorstellungswelt jener für Palästina (und Aegypten) so bedeutsamen Epoche der Mittelbronze-Zeit II B, der sogenannten Hyksos-Zeit war. Die Untersuchung zeigt aber auch, woher dieses Bild nach Palästina gekommen ist und mit welchen komplementären Vorstellungen es assoziiert wurde. Sie lässt so ein Stück Realität ahnen, die dieses Bildmotiv geschaffen, vergegenwärtigt, verklärt und an dem sie sich orientiert hat.

---

151 CHRISTIAN HERRMANN arbeitet zur Zeit unter Leitung des Verfassers an einer Dissertation mit dem Arbeitstitel "Amulette im Alten Testament".
152 R.SMEND, Albrecht Alt 1883-1956, in : Zeitschrift für Theologie und Kirche 81 (1984) 303.

VERZEICHNIS DER ABGEKUERZT ZITIERTEN LITERATUR

AMIRAN R., Ancient Pottery of the Holy Land from its Beginning in the Neolithic Period to the End of the Iron Age, Jerusalem/Ramat-Gan 1969.

BLISS F.J./MACALISTER R.A.S., Excavations in Palestine during the Years 1898-1900, London 1902.

COOK S.A., The Religion of Ancient Palestine in the Light of Archaeology (The Schweich Lectures of the British Academy 1925) London 1930, Nachdruck : München 1980.

DOTHAN T., The Philistines and their Material Culture, London/Jerusalem 1982.

GALLING K. (Hrsg.), Biblisches Reallexikon, Tübingen 2/1977.

GIVEON R., The Impact of Egypt on Canaan. Iconographical and Related Studies (Orbis Biblicus et Orientalis 20) Freiburg-Schweiz/Göttingen 1978.

GRESSMANN H., Altorientalische Bilder zum Alten Testament, Berlin/Leipzig 2/1927.

JAROŠ K., Die Stellung des Elohisten zur kanaanäischen Religion (Orbis Biblicus et Orientalis 4) Freiburg-Schweiz/Göttingen 2/1982.

KEEL O., Jahwe-Visionen und Siegelkunst. Eine neue Deutung der Majestätsschilderungen in Jes 6, Ez 1 und 10 und Sach 4 (Stuttgarter Bibel-Studien 84-85) Stuttgart 1977.

– Das Böcklein in der Milch seiner Mutter und Verwandtes. Im Lichte eines altorientalischen Bildmotivs (Orbis Biblicus et Orientalis 33) Freiburg-Schweiz/Göttingen 1980

– La Glyptique, in : J.BRIEND/J.B.HUMBERT (Hrsg.), Tell Keisan (1971-1976). Une cité phénicienne en Galilée (Orbis Biblicus et Orientalis. Series Archaeologica 1) Freiburg-Schweiz/Göttingen/Paris 1980a, 257-295.

– Die Welt der altorientalischen Bildsymbolik und das Alte Testament. Am Beispiel der Psalmen, Neukirchen/Zürich 4/1984.

LAMON R.S./SHIPTON G.M., Megiddo I. Seasons of 1925-1934. Strata I-V (Oriental Institute Publications 42) Chicago 1939.

LOUD G., Megiddo II. Seasons of 1935-1939 (Oriental Institute Publications 62) Chicago 1948.

MACALISTER R.A.S., The Excavations of Gezer 1902-1905 and 1907-1909 (3 Bände) London 1912.

McCOWN CH. CH., Tell en-Nasbeh I. Archaeological and Historical Results, Berkeley/New Haven 1947

NEGBI O., Canaanite Gods in Metal. An Archaeological Study of Ancient Syro-Palestinian Figurines, Tel Aviv 1976.

PORTER B./MOSS R.L.B., Topographical Bibliography of Ancient Egyptian Hieroglyphic Texts, Reliefs, and Paintings. VII. Nubia, The Desert and Outside Egypt, Oxford 1952.

PRITCHARD J.B., The Ancient Near East in Pictures Relating to the Old Testament, Princeton 1954.

ROWE A., The Topography and History of Beth-Shan (Publications of the Palestine Section of the Museum of the University of Pennsylvania 1) Philadelphia 1930.

— A Catalogue of Egyptian Scarabs, Scaraboids, Seals and Amulets in the Palestine Archaeological Museum, Le Caire 1936.

WELTEN P., Die Königs-Stempel. Ein Beitrag zur Militärpolitik Judas unter Hiskija und Josia (Abhandlungen des Deutschen Palästina-Vereins 1), Wiesbaden 1969.

WINTER U., Frau und Göttin. Exegetische und ikonographische Studien zum weiblichen Gottesbild im Alten Israel und in dessen Umwelt (Orbis Biblicus et Orientalis 53) Freiburg-Schweiz/Göttingen 1983.

YADIN Y., Hazor I-IV, Jerusalem/Oxford 1958-1961

— Hazor. The Head of all those Kingdoms. With a Chapter on Israelite Megiddo (The Schweich Lectures of the British Academy 1970) Londons 1972.

SILVIA SCHROER

DER MANN IM WULSTSAUMMANTEL
EIN MOTIV DER MITTELBRONZE - ZEIT II B

VORWORT

Die vorliegende kleine Studie über die Geschichte eines wichtigen Dekorationsmotivs der MBIIB-Skarabäen aus Palästina kam in den ersten Wochen des Jahres 1984 zu Papier, wobei sie bereits den geplanten Umfang eines Artikels, den Othmar Keel und ich uns bei der ersten Sichtung des Materials vorgestellt hatten, sprengte. Für das weitere gute Gedeihen des Zöglings — d.h. von der Erstfassung bis zu der, die Sie nun in Händen halten — sorgten dann eine ganze Reihe von Hebammen und Ammen, die zu nennen mir eine Freude ist :

K. Jaroš und B. Jaeger fertigten in mühseliger Kleinarbeit tausende von Karteikarten mit Photos der Stempelsiegel aus Palästina an und stellten so eine wahre Schatzkiste bereit, die ich bei meiner Suche nach "Fürsten" immer wieder gern geplündert habe.

Zu Dank verpflichtet bin ich den Herren Prof. Dr. M. Metzger (Kiel) und Prof. Dr. V. Haas (Konstanz) für die grosszügig gewährten Informationen und Materialien zu speziellen Sachfragen sowie Herrn Prof. Dr. A. Kempinski (Tel Aviv) für die Mühe, zweimal das ganze Manuskript gelesen zu haben. Die wertvollen Hinweise von Frau Dr. D. Collon (London) waren mir eine grosse Hilfe. Frau Bernadette Schacher danke ich für die Ruhe und liebenswerte Freundlichkeit, mit der sie die Offset-Vorlagen geschrieben hat. Die Zeichnungen, ohne die dieses Büchlein nicht lesbar wäre, wurden zum grössten Teil von Hildi Keel-Leu angefertigt. Die Qualität ihrer Arbeit kann wohl nur richtig abschätzen, wer einmal selbst den Versuch einer solchen Zeichnung unternommen hat. Auch ihr ein herzliches Danke.

Als in jeder Hinsicht wichtigste "Amme" dieses Büchleins darf ich meinen Lehrer und Freund O. Keel nennen. Er hat das Wachsen der Arbeit durch immer neue Zulieferungen in Form von Literaturhinweisen und Material aus Israel zuverlässig begleitet und den endgültigen Abschluss des Manuskripts auf diese Weise einige Male erfolgreich verzögern können. Ihm verdanke ich die grossartige Gelegenheit, meinen Beitrag in der Reihe OBO herausgeben zu können.Sein grösster Einfluss auf die Entstehung des Büchleins liegt allerdings in der gespannt-zuversichtlichen Erwartung begründet, mit der er meine schriftstellerische Schwangerschaft verfolgte. Ohne seine seit nun mehr als 4 Jahren anhaltende Treue in den Herausforderungen und Zumutungen, ohne seine ansteckende Faszination von der Bildwelt des Alten Orient und ohne das erfrischende Zusammenstimmen seines Wissenschaftler-Daseins und Sonst-Mensch-Seins wäre mir als Frau an einer theologischen Fakultät die Lust am Studium, am Dissertieren und Schreiben oft vergangen oder gar nicht erst gekommen.

Danken möchte ich ausdrücklich all meinen frauenbewegten Freundinnen an der theologischen Fakultät, die mir durch ihr Interesse und ihre Zuneigung zu verstehen geben, dass sie das Erwerben von fachspezifischen Kenntnissen nicht für überflüssig halten, und die mir zugleich immer wieder der Stachel sind zu einer kritischen Hinterfragung meiner Arbeit im Rahmen einer von Männern geprägten Wissenschaft und angesichts einer Welt, in der ohne "Fürsten" und entsprechende (heilige) Herrschaft für viele Völker besser leben wäre.

Ich widme mein erstes Büchlein meiner Mutter als kleines Zeichen meiner grossen Bewunderung für ihren unschlagbaren Lebensmut und meiner zunehmenden Dankbarkeit dafür, dass sie mir soviel davon mit auf den Weg geben konnte.

Fribourg, März 1985

Silvia Schroer

EINLEITUNG

"'Hyksos' Scarabs from Canaan" ist ein kleiner Beitrag von O. TUF-
NELL überschrieben, der 1956 in den Anatolian Studies erschienen ist (1).
Die Autorin stellt darin erstmals eine Gruppe von zwölf Skarabäen zusammen, die von verschiedenen Ausgrabungsorten in Palästina stammen und
alle in die MBIIB-, die sogenannte "Hyksos"-Zeit datiert sind. TUFNELLs
Interesse gilt dabei vor allem dem Gewand des auf all diesen Exemplaren
figurierenden stehenden oder thronenden Mannes, in dem sie ein "per-
sonnage of rank and dignity" vermutet (1956: 67). TUFNELL hat er-
kannt, dass diese Art von gewickeltem Gewand, das auffällig breite oder
wulstartige Borten bzw. Säume aufweist und immer die rechte Schulter
freilässt, anders als die ägyptischen Symbole und Hieroglyphen auf denselben Stücken asiatischer Herkunft sein muss (1956: 71). Ein überzeu-
gender Beweis für diese Hypothese gelingt ihr jedoch, zum einen mangels
Vergleichsmaterial (2), zum anderen wegen der damals herrschenden Un-
klarheiten über die Hyksos und die Hyksos-Zeit in Palästina, nicht (3).
Ihr Fazit: "Finally, do these scarabs reflect an element of Hittite tradition,
kept alive by settlers of Hittite stock in south Palestine... ?" ist zurecht
als Frage formuliert (1956:73) (4).

Auch J. VAN SETERS kann in seiner Studie über die Hyksos (1966:
65) bezüglich der genannten Gruppe von Skarabäen nur feststellen : "It
is likely that these figures on the seals are intended to represent royalty

1   M.A. MURRAY hatte einige Jahre zuvor Skarabäen derselben Epoche untersucht,
    sich aber vornehmlich für die Entwicklung einiger Motive von rein asiatischer zu
    ägyptischer Gestaltung interessiert, so z.B. das Motiv des Stehenden, Knieenden
    bzw. Falkenköpfigen mit Lotos, Zweig oder Uräen (MURRAY 1949: 92-99).
2   Als einzigen archäologischen Fund aus Palästina, der ihr im Zusammenhang von
    Bedeutung zu sein scheint, führt TUFNELL "toggle pins", die Gewandnadeln für
    Wickelkleider an (aaO. 71).
3   Auch H. STOCK (1942: bes. 30.36f.70ff.) kommt, da er die Hyksos nicht mit den
    Kanaanäern identifizieren will (aaO. 37.72), nur zu sehr komplizierten Erklärun-
    gen für die Fremden in der "syrisch-palästinischen Gewandung", wie sie sich ihm
    auf zwei Skarabäen, einem aus Aegypten und einem aus Jericho, darstellen. Er
    vermutete einen syrisch-kanaanäischen Einfluss auf die Kunst im ägyptischen
    Delta bereits vor den Hyksos und zudem nichtsemitische, churritische Elemente
    im Bildrepertoire (vgl. dazu aaO. 72).
4   Op.cit. 73. TUFNELL weist hier auf die Kleidung des hethitischen Königs in der
    Yazilikaya-Prozession hin (PRITCHARD 1969: No 541). Eine Aehnlichkeit
    mit den Gewändern auf den Skarabäen ist jedoch m.E. auch auf den zweiten
    Blick schwer festzustellen.

in the Second Intermediate Period in Palestine." Allerdings, und das ist für uns von Bedeutung, sieht VAN SETERS einen Zusammenhang zwischen dem Gewandtyp auf den Hyksos-Skarabäen und Gewändern, wie sie auf syrischen Rollsiegeln zu sehen sind. Leider führt er diese Beobachtung des weiteren nicht aus (1966: 65).

Es scheint mir offensichtlich, dass die recht verwirrenden Thesen über die Hyksos (4a) und die MBIIB-Zeit in Palästina bislang die Auswertung von Beobachtungen, die in Ansätzen gemacht wurden, verhindert haben. Aus diesem Grund werden wir uns in dieser Studie bewusst nicht auf die Forschungsgeschichte und den jetzigen Stand der Diskussion um die Hyksos einlassen, sondern uns direkt dem "Mann im Wulstsaumgewand" zuwenden, wie er sich uns in der altsyrischen Glyptik, in verschiedenen plastischen Darstellungen und schliesslich auf den MBIIB-Skarabäen darstellt. Die zentrale Frage unserer Untersuchung wird sein, ob sich aus dem Vergleich der Wulstsaummantelträger auf diesen verschiedenen Bildträgern die Identität des "Mannes im Wulstsaumgewand" auf den MBIIB-Skarabäen erschliessen lässt. Um was für eine Figur handelt es sich, woher kommt sie und warum wurde sie auf Stempelsiegeln dargestellt ?

Zu dieser Vorgehensweise ermutigt uns besonders D. COLLONs grundlegende Publikation der Alalach-Glyptik (COLLON 1975) (5) und der Beifall, den die Autorin verschiedenerseits erhalten hat (6). A. MAZAR (1981: 136) unterstreicht in seiner Rezension, die Motive der Alalach-Siegel "provide a sound basis for the study of the MB and LB art of Syria-Palestine". Und P. BECK gelang es, die bekannte Bronze-Plakette von Hazor (Abb.30), die bislang in die SB-Zeit datiert wurde (7), aufgrund ihrer Aehnlichkeit (in Haltung und Kleidung) mit Figuren auf den Siegeln von Schicht VII Alalach in die MBIIB-Zeit (17. Jh.v.Chr.) einzuordnen (BECK 1983: 80) (8).

4a Eine Uebersicht zu früheren Arbeiten über die Hyksos findet sich bei KEMPINSKI 1983 : 2-4.
5   Die folgenden Publikationen derselben Autorin seien als Ergänzung ebenfalls genannt : D. COLLON, The Alalakh Cylinder Seals; dies., The Aleppo Workshop.
6   Vgl. z.B. die Rezensionen von R. MAYER-OPIFICIUS (1978: 461-463), A. MAZAR (1981: 135f.) und den Artikel von P. BECK (1983: 78-80).
7   So noch bei PRITCHARD 1969 : No 772 und GALLING 1977 : 186. Vgl. zur Hazor-Plakette weiter unten S. 74.
8   Vgl. die entsprechenden Abbildungen bei COLLON 1975 : 187-188 und Pl.31, 14-15.19.
     Die nach Erstellung der Offsetvorlage unseres Manuskripts erschienene Publikation von O. TUFNELL "Studies on Scarab Seals" wurde soweit möglich für die Referenzen noch berücksichtigt. Von einer ausführlicheren Auseinandersetzung mit TUFNELLs Arbeit kann insofern auch abgesehen werden, als die Autorin zu den "toga wearers" keine neuen Ueberlegungen mitteilt (vgl. TUFNELL 1984 : I bes. 136-138). Die Entstehungsgeschichte dieser Arbeit bedingte den Ausfall der Anm. 49 und der Abb. 21.

I. DER "FUERST IM WULSTSAUMMANTEL" IN DER ALTSYRISCHEN GLYPTIK

Da die Siegelabrollungen von Alalach VII aussergewöhnlich gut datiert sind (1720-1650) (COLLON 1975: 143f.), wollen wir sie zum Ausgangspunkt unserer Untersuchungen machen.

Unter den 186 Siegelabdrücken aus Schicht VII fällt eine stattliche Anzahl solcher Darstellungen auf, die, zumeist in "Einführungsszenen", eine männliche Figur mit hoher, ovaler Kopfbedeckung zeigen, die in einen kunstvoll angelegten Mantel gekleidet ist, der sich in jedem Fall auszeichnet durch ausladende, breite Säume, so dass in der deutschsprachigen Literatur üblicherweise vom "Wulstsaummantel" die Rede ist (9). Es lassen sich nun noch Differenzierungen in den Typen von solchen Wulstsaummänteln vornehmen (10), wobei wir im folgenden aus praktischen Gründen die Bezeichnung mit den Grossbuchstaben A, B, C, D wählen.

Als Typ A möchte ich den Typ bezeichnen, der besonders ausgeprägt auf einer Siegelabrollung aus Alalach VII (Abb.1) zu erkennen ist :

Abb.1

Der Verehrer mit der ovalen Kopfbedeckung vor der Göttin im Zylinderhut blickt nach rechts; der rechte Unterarm weist nach oben, der linke Arm scheint eingewickelt in den langen Wickelmantel, dessen Wulstsäume elegant bis zu den Knöcheln hinunterfallen. Die Schultern sind ebenfalls von pelzkragenartigen Borten umschlungen; eine genaue Rekonstruktion des Arrangements ist aber schwierig. Vielleicht handelt

9   COLLON nennt ihn "mantle with thickly rolled borders".
10 Vgl. dazu COLLON 1975 : Pl. 29-31.

Abb.2

Abb.3

Abb.4

es sich um ein deux-pièces oder ein Gewand mit Ueberwurf. Wichtige Kennzeichen, die wir festhalten wollen, sind : der eingewickelte (linke) Arm, die diagonale Führung des unteren Saumes und der Eindruck, die Figur trage ein Kleid — nicht einen vorne offenen Mantel oder Ueberwurf —, welches die Bewegungsfreiheit zugunsten vornehmer Eleganz einschränkt.

Zu dieser Gruppe gehören, wenn auch Einzelheiten immer wieder verschieden sind, noch eine Reihe weiterer altsyrischer Stücke (11), von denen hier zunächst ein Rollsiegel aus der Sammlung Brett (Abb.2) ausgewählt ist, das zwei bärtige Verehrer mit der Breitrandkappe vor der Göttin im Stufenkleid zeigt. Die Figur links hat den linken Arm erhoben (12), die Gewänder sind je verschieden gewickelt.

Unserem Alalach-Prototyp sehr nahe kommt ein Exemplar aus dem Louvre (Abb.3). Auch hier steht ein Verehrer mit ovaler Kopfbedeckung vor der Göttin im Zylinderhut. Seine linke Hand kommt hier unter einer diagonal liegenden Wulstborte wieder hervor.

Ebenfalls im Louvre befindet sich das Siegel bei Abb.4, wo zwei gleich aussehende Männer mit der hohen ovalen Kappe antithetisch vor einer Göttin stehen. Hier sind allerdings beide Arme frei beweglich, nur die Schultern sind mit einem wulstigen Schal, der vorn mit einer Hand zusammengehalten wird, bedeckt (13). Noch "verwickelter" erscheinen die Wulstsäume bei der Figur ganz links auf einem Siegel aus Damaskus (Abb.5).

---

11 COLLON 1975 : No 140 und evtl. Nos 25.50.62.81.

12 Vgl. auch WINTER 1983 : Abb.120, wo der Mantel jedoch weniger typisch ist; sowie ibid. Abb.128 = BUCHANAN 1966 : No 862. Dort wendet sich der Verehrer vor dem Thronenden nach links, die linke Schulter ist frei, der rechte Arm eingewickelt, die unteren Säume sind charakteristische Wulstsäume. Im Ashmolean Museum (BUCHANAN 1966 : No 871 = WINTER 1983 : Abb.431) befindet sich auch ein Siegel, das eine bärtige Figur mit Hörnerkappe in einem offenen Wulstsaumgewand zeigt. Dieser Typ von Mantel ist noch auf einem Rollsiegel aus Palästina zu sehen (PARKER 1949 : No 175).

13 Im Typ sehr ähnlich ist die Figur auf einem Siegel des British Museum (WARD 1910 : No 863). Vgl. auch LAENDER DER BIBEL 1981 : No 215; CONTENAU 1922 : No 164 = WARD, 1910 : No 861. Dort fällt das Gewand der Figur links unten in einem mehrfachen Wulstsaum.

Gewiss könnte man die Liste mit Beispielen für unseren Wulstsaummantel-Typ A noch fortführen, jedoch erlauben die Photographien in
manchen Siegelpublikationen keine ganz genaue Bestimmung der Art des
Gewandes (14). Das gilt auch in den vielen Fällen, wo Thronende mit
langen Gewändern dargestellt sind. Für diese Untergruppe nun noch einige
Illustrationen:

Ins 19./18. Jh.v.Chr., also erheblich früher als alle bisher genannten
altsyrischen Siegel, wird ein Rollsiegel aus Büyükkale datiert (Abb.6). Der
Mann mit der ovalen Kappe, der auf einem syrischen "Tempeltorthron"
mit mittelhoher, nach hinten gebogener Lehne sitzt (METZGER o.J.:
236), trägt ein Gewand, das die rechte Schulter und den Arm freilässt
und die typischen breiten Wülste hat, die sich oberhalb der Knöchel
übereinanderlegen (15).

In Stil und Komposition identisch ist die Szenerie bei Abb.7, einem
Hämatitsiegel, das in Zypern erstanden wurde, aber aus Nordsyrien
stammt (19./18. Jh.v.Chr.). Interessant sind im Vergleich einige Details :
der Thronende im Wulstsaummantel trägt keine Kopfbedeckung, dafür
jedoch der vor ihm stehende Verehrer (ebenfalls von hohem, aber von
untergeordnetem Rang), der ein Krüglein darbietet, während ihm eine
Schale gereicht wird (16). Die typisch syrische Thronform bei Abb.6
ist hier abgelöst durch den "löwenbeinigen Thronstuhl mit hoher Rückenlehne"(METZGER o.J. : 246-251), der auf ägyptische Vorbilder zurück-
geht.

14 Auf folgende Stücke sei hingewiesen : PORADA 1948 : Nos 955.966; BUCHA-
    NAN 1966 : Nos 858.868 (Figur rechts); LAENDER DER BIBEL 1981 : No
    212. Ein Siegel aus Kition/Zypern, das ins 13. Jh.v.Chr.datiert wird,zeigt, wie
    erstaunlich lange sich diese Darstellungsweise noch fortsetzte (KARAGEOR-
    GHIS 1976 : No 29).
15 Vergleichbar angeordnet ist das Gewand bei dem Thronenden auf einem Roll-
    siegel der Pierpont Morgan Library (WINTER 1983 : Abb.280 = PORADA
    1948 : No 937 = WARD 1910 : Abb.917 = BARRELET 1955 : 244 Abb.13d).
16 Vgl. zu dieser Szenerie und besonders zur Identität der Schutzgöttin WINTER
    1983 : 239ff. und als weitere Beispiele op.cit. Abb.128.219-221.224.225.265.
17 Aus derselben Sammlung stammt ein Siegel, auf dem sogar zwei Thronende
    (einer mit, einer ohne die ovale Kappe) im Wulstsaummantel vor der sich ent-
    schleiernden Göttin sitzen (WINTER 1983 : Abb.283). Um einen Wulstsaumman-
    tel könnte es sich auch auf einem altsyrischen Siegel der Sammlung Moore han-
    deln (WINTER 1983 : Abb.224 = EISEN 1940 : No 141 = FORTE 1976 : No
    4), auf einem Exemplar der Yale Collection (unsere Abb.46) und auf einem Stück
    aus der Bibliothèque Nationale (WINTER 1983 : Abb.120 = DELAPORTE 1910 :
    No 488, in der Nebenszene). Bisweilen deuten horizontale Saumlinien einen Ge-
    wandtyp an, den wir weiter unten als Typ D noch genauer illustrieren werden (vgl.
    z.B. WINTER 1983 : Abb.132 und 219).

Auch ein bislang unveröffentlichtes altsyrisches Stück aus der Sammlung des Biblischen Instituts Freiburg i.Ue. (Hämatit; 1,78 cm; 0,86 cm Durchmesser) zeigt in einer ähnlichen Szenerie einen Thronenden im Wulstsaummantel, vor dem ein Verehrer steht, der ebenfalls ein solches Gewand, nicht aber die hohe Kopfbedeckung trägt (Abb.8) (17).

Abb.6

Abb.7

Abb.8

Auf der Hülle für den Schaft einer Doppelfensteraxt (Abb. 8a), die im Obeliskentempel von Byblos gefunden wurde, ist in Granulationstechnik ein Wulstsaummantelträger vor einem Thronenden mit Hörnerkrone, vermutlich also einem Gott, dargestellt. Dieser hält wie der Sitzende bei Abb.6 dem Stehenden eine Schale in der ausgestreckten Hand entgegen. Das Fundstück ist zwar archäologisch nur sehr vage ins 19.-15. Jh.v.Chr. datiert, die Art der Darstellung des Wulstsaummantels scheint mir eine Datierung in die Nähe von Alalach VII aber nahezulegen.

Wir kommen nun zum Gewandtyp B, der in der Alalach VII- und der altsyrischen Glyptik sicher der weitaus häufigste ist. Obwohl es auch hier im einzelnen Fall wieder unterschiedliche Formen gibt, lässt sich diese "Gattung" doch durch folgende Merkmale charakterisieren : Der Mann (oft mit der hohen ovalen Kopfbedeckung und nach rechts blickend) trägt einen Mantel mit Wulstsäumen, der dem Typ A offensichtlich sehr ähnlich ist — eine Schulter ist frei, die Borten fallen diagonal —, der aber vorne offen ist und so den zweiten Unterarm freigibt sowie das vorgesetzte Bein. Unter dem Mantel trägt die Figur ein kurzes, durch horizontale Schraffierungen angedeutetes Kleidungsstück. Charakteristisch ist auch die Markierung von Fransen bzw. einem Karomuster an der deutlich sichtbaren inneren Borte, die senkrecht fällt. Man könnte sich vorstellen, dass der hier beschriebene Typ B de facto identisch ist mit A, wobei durch das Hochheben des unteren Wulstsaumes über den Arm dem Träger eine grössere Bewegungsfreiheit möglich wird (18).

Der vorgenommenen Typisierung am nächsten kommen die Verehrer vor der Göttin im Zylinderhut, wie sie auf drei sehr ähnlichen Alalachabrollungen zu sehen sind (19), von denen hier eine ausgewählt ist (Abb.9).

Der Gestus des Verehrers entspricht in diesem Fall dem Gestus vieler Figuren, die wir unter Typ A einordneten (der freie Arm mit angewinkelten Ellenbogen weist nach oben, der andere Unterarm ist waagerecht vorgestreckt). Viel zahlreicher sind in der Gruppe B jedoch Figuren, die in einer Hand, manchmal auch beiden Händen verschiedene Arten von Gegenständen, zumeist Waffen halten. Aus Alalach stammen die beiden Siegelabrollungen bei Abb.10 und 11.

18 Wir wollen uns hier allein an der Darstellungsweise der Figur und des Mantels orientieren und die Frage, ob es sich dabei realiter um dasselbe Gewand handelt, ausklammern.

19 COLLON 1975 : Nos 3-5. Vgl. auch ibid., Nos 31.88.138.

Abb.8a

Abb.9

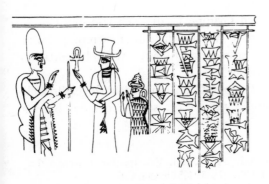

Abb.10

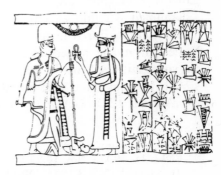

Abb.11

Auf das Krummschwert, das die Figur bei Abb.11 (Schicht IV, 17./16. Jh.v.Chr.) in der Rechten hält, werden wir bei anderer Gelegenheit noch zurückkommen (20). Das Spektrum der Waffentypen ist breit gestreut, wie ein Blick auf weitere Siegelabrollungen aus Alalach VII zeigt (21).

Auf dem Exemplar bei Abb.12 sehen wir zwei Verehrer, die antithetisch zueinander links und rechts von der Göttin im Stufenkleid stehen. Die beiden Figuren sind fast identisch (22), beide halten in der erhobenen Hand ein Krummholz.

Abb.12

Der Mann im Wulstsaummantel-Typ B begegnet uns auf sehr vielen altsyrischen Rollsiegeln in dieser antithetischen Konstellation. Bisweilen fehlt der Gegenstand in der Hand oder sind die beiden Figuren unterschiedlich gekleidet (23).

Kommen wir nun zu einer dritten Gruppe C, die sich von den ersten beiden abhebt durch mehrere, dünnere Wülste, die zudem streng parallel in der Diagonale angeordnet sind, sowie durch eine Art Schultertuch, das vorne auf der Brust in Fransen endet.

Abb.13 zeigt einen Vertreter der Gruppe C auf einem Rollsiegelabdruck aus Alalach (24). Gelegentlich findet man hier, so wie bei der bereits

20 Dazu weiter unten S. 82.
21 COLLON 1975 : Nos 10.29.34.56 (vgl. Taf. XXX). Vgl. weitere Beispiele des Typs B bei WINTER 1983 : Abb.197.198. 276.301.375.434.436.
22 Zur Interpretation dieser Verdoppelung vgl. WINTER 1983 : 247-249. WINTER sieht in der Verdoppelung eher ästhetische als inhaltliche Gründe (Vertrag zwischen Bündnispartnern o.ä.).
23 Vgl. COLLON 1975 : Nos 60.148; WINTER 1983 : Abb.231 = DELAPORTE 1910 : No 461; WINTER 1983 : Abb.236 = EISEN 1940 : No 154 = FORTE 1976 : No 13; WINTER 1983 : Abb.277 = PORADA 1948 : No 989 = CONTENAU 1922 : Abb.172.177.189.
24 Vgl. COLLON 1975 : Nos 15.19.63.140; WINTER 1983 : Abb.509 (zweite Figur von links) und Abb.444.

erwähnten Hazor-Plakette (Abb.30), einen dicken "Pelzkragen"-Schal, so z.B. auf einem Rollsiegel aus dem Ashmolean Museum in Oxford (Abb. 14) (25). Insgesamt ist Typ C weniger häufig in der altsyrischen Glyptik vertreten als A oder B.

Eine grosse Anzahl von altsyrischen Siegeln zeigt Personen in verschiedenen Spielarten von Gewändern, die ich im Unterschied zu den "Wulstsaummänteln" eher als "Breitsaummäntel" bezeichnen möchte. Dieser Typ D zeichnet sich durch breite, manchmal gemusterte oder fransenartige Borten aus (26). Die Wicklung des Kleides scheint weniger kompli-

Abb.13

Abb.14

25 Vgl. auch ein wahrscheinlich später datierendes Siegel aus dem Museum of Fine Arts in Montreal (WINTER 1983 : 240 = DIGARD 1975 : Nos 1177-8) und das Stück aus dem Louvre, das P. BECK (1983 : Pl. 8 D) zum Vergleich mit der Hazor-Plakette heranzieht.

26 In der Literatur hat sich zur Bezeichnung auch der Begriff "Fransenkleid" eingebürgert.

ziert als bei den vorangehenden Beispielen. Die Uebergänge von Typ D,
wie wir ihn auf einem Rollsiegel aus der Pierpont Morgan Library in New
York (Abb.15) und auch schon auf einem altsyrischen Exemplar in Damaskus (Abb.16 = Ausschnitt aus Abb.5) sahen, zu Typ B bzw. C sind
fliessend (27).

Abb.15

Abb.16

27 Vgl. zusätzlich zu unseren Abb.15 und 16 beispielsweise WINTER 1983 : Abb.
191.193.246.271.305.431.489.508.

Nun hat U. WINTER in seiner Studie "Frau und Göttin" aufgrund eines forschungsgeschichtlichen Ueberblicks und eigener Untersuchungen feststellen müssen, dass die verschiedenen Kleidungstypen in der syrischen Glyptik als stilistisches Kriterium für eine Unterteilung oder relative Chronologie dieser Siegel nicht geeignet sind (28). Auch unsere mit A – D bezeichneten Darstellungsweisen des Wulst- und Breitsaummantels treten anscheinend nebeneinander auf, so auf Abrollungen aus Alalach VII (1720-1650). Innerhalb der Gruppe der Alalach-Abrollungen lässt sich eine Tendenz vom "Barock" zum "Rokoko"-Stil aufzeigen (29).

Des weiteren können wir im Anschluss an D. COLLON und U. WINTER die Männer im Wulstsaummantel mit einiger Wahrscheinlichkeit, wohl nicht mit letzter Gewissheit, als irdische Würdenträger identifizieren (30). Die ovale Kopfbedeckung, die viele von ihnen tragen, ist wahrscheinlich eine in Anlehnung an die oberägyptische weisse Krone weiterentwickelte Form der Breitrandkappe und schmückt in der altsyrischen Glyptik eher irdische Würdenträger (nicht unbedingt Fürsten) als Götter (31). Dass es sich um einen Gott bzw. um einen nach seinem Tode vergöttlichten König handle, kann vor allem dann angenommen werden, wenn, wie z.B. im Fall eines syrischen Bronzefigürchens, die ovale Kappe durch Hörner als Kopfbedeckung eines Gottes gekennzeichnet ist (32). Wir wollen die Männer im Wulstsaumgewand im folgenden als "Fürsten" bezeichnen, um komplizierte Bezeichnungen zu vermeiden.

28 Vgl. dazu den Exkurs "Probleme und Fixpunkte bei der Datierung syrischer Glyptik" bei WINTER 1983 : 205-216. Auch COLLON (1975 : 140) hält noch am Kleidsaum als Datierungskriterium fest, kann aber,wie WINTER (1983 : 211 Anm.45) bemerkt, dafür keine Beispiele anführen. Vgl. zur Gleichzeitigkeit von Fransen- und Wulstsaummantel zwischen 1850 und 1750 v.Chr. WINTER, op. cit. 208.
29 Vgl. COLLON 1975 : 140 No 3 ("Barock") und No 14 ("Rokoko"). Diese Bezeichnungen stammen von E. PORADA und beziehen sich auf die eher volle bzw. sehr schlanke Darstellungsweise der Figuren.
30 Dazu vgl. COLLON 1975 : 187 und WINTER 1983 : 243-245.
31 Vgl. WINTER, op.cit. 244 und seine Abb.186.188 sowie Anm.206 und Abb.215.
32 Zu dem bei U. WINTER in diesem Zusammenhang erwähnten Bronzefigürchen aus Qatna kommen wir weiter unten S. 71 zurück. Das Problem der Identität der stehenden oder thronenden Wulstsaummantelträger wird im Einzelfall noch weiterzuverfolgen sein.

66

II. STELEN, BRONZEN UND RELIEFS :
TRAEGER VON WULSTSAUMMAENTELN IN DER SYRISCHEN
KUNST AUSSERHALB DER GLYPTIK

Einen Zusammenhang zwischen dem Wulstsaummantel in der syrischen Glyptik und einer Bronzestatue aus Mischrife (Qatna) (Abb.23), auf die wir noch näher eingehen werden, hatte bereits E. PORADA gesehen, als sie nach Hinweisen zur Datierung der damals angenommenen "Zweiten Syrischen Gruppe" in der Glyptik suchte. Sie ging davon aus, dass die genannte Bronzefigur in die Mitte des 2. Jts.v.Chr. datiert war,und ordnete entsprechend Siegel mit "Wulstsaummantelträgern" in die zweite syrische Gruppe (ca. 1450 v.Chr.)ein (PORADA 1948: 117ff. 123ff.)(33).

Nun gibt es noch eine ganze Reihe plastischer Darstellungen von Wulstsaummantelträgern im Bereich Palästina/Syrien, die erhebliche Aehnlichkeit zur altsyrischen Glyptik aufweisen.Da vor allem einige Bronzen aufgrund der Fundlage sehr schlecht datierbar sind, wird im folgenden — entgegen dem Vorgehen PORADAs — die Ausgangsbasis des Vergleichs grundsätzlich die altsyrische, besonders die Alalach-Glyptik sein. Wir wenden uns zunächst einigen relativ sicher datierten Funden aus der Levante zu.

Bei den Ausgrabungen auf dem Tell Beit Mirsim fand man im Stratum D im sogenannten "Herren-" oder "Patrizierhaus" ein Stelenfragment aus Kalkstein von 41,5 cm Höhe (Abb.17). Das Fragment stellt eine schreitende Person dar, um deren Kleid sich von unten herauf eine wulstige Borte windet, die wie eine Schlange anmutet. Der obere Rand des Fragments lässt noch einen angewinkelten Arm erkennen.

Bei der Publizierung identifizierte W.F. ALBRIGHT (1938: 42f. 49) den Fund als Statue einer "Schlangengöttin" . Die These war aber fast von Anfang an umstritten. So heisst es bereits in der 1. Auflage des Biblischen Reallexikons von K. GALLING : "Wahrscheinlicher ist uns..., dass hier einfach ein Gewandwulst gemeint ist" (GALLING 1937: 459) (34). Diese

33 Vgl. dazu U. MOORTGAT-CORRENS 1955 : 90 sowie zu denselben COLLON 1975 : 197f. Auch SCHAEFFER (1933 : 120 Anm.3) bemerkte die Aehnlichkeit eines Statuenfragments aus Ugarit (unsere Abb.20) mit den Wulstsaummänteln auf den Siegeln bei CONTENAU (1922).
34 So auch SELLIN (vgl. BOEHL 1938 : 3).

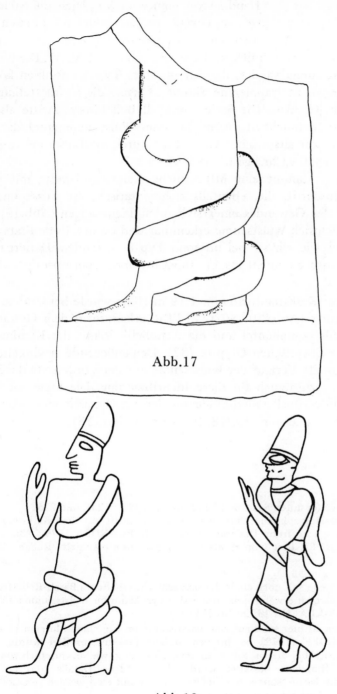

Abb.17

Abb.18

Erklärung liegt auf der Hand, wenn man zum Vergleich die Stele vom Tell Beit Mirsim mit zwei seitenverkehrt abgebildeten "Fürsten" wie sie auf Rollsiegeln zu sehen sind, zusammenstellt. Abb. 18 zeigt, von links nach rechts, Ausschnitte aus unseren Abb.5 und Abb.1. Die Windungen des Wulstsaumgewandes, das wir unserem Typ A zuordnen können, sind beim Fragment frappierend ähnlich, ebenso die Schrittstellung und der angewinkelte Arm. Die Stele vom Tell Beit Mirsim stellte also mit grösster Wahrscheinlichkeit einen Mann im Wulstsaummantel dar. Ihre zeitliche Nähe zur altsyrischen Glyptik ist durch die Datierung von Stratum D (1720-1650 v.Chr.) gesichert (35).

Aus Sichem stammt eine MB-zeitliche Kalksteinplakette mit protosinaitischer Inschrift, die, ebenfalls fragmentarisch, die Füsse und den unteren Teil des Gewandes einer stehenden Figur zeigen (Abb.19). Wiederum sind deutlich Wulstsäume erkennbar und eventuell die Fransen (?) des Gewandes, wie wir sie bei unserem Typ B vorfanden. Datiert ist das 5 x 8 cm grosse Fragment ins 17. Jh.v.Chr., möglicherweise etwas früher (36).

Ein weiterer Kalksteintorso von 1,19 m Höhe wurde bei Grabungen in Ugarit gefunden (Abb.20). SCHAEFFER erkannte in dem Gewand sofort einen Wustsaummantel und die Aehnlichkeit mit der Kleidung von Personen in der syrischen Glyptik (37). Der anliegende gewinkelte Arm und der diagonale Verlauf der Wulstsäume auf der Vorderseite der Statue sprechen m.E. zusätzlich für diese Identifizierung. Die Stele aus Ugarit wurde mit Hilfe von Parallelfunden aus der 12. Dynastie an das Ende des Mittleren Reiches, also ins 19./18. Jh.v.Chr., datiert (38).

---

35 Vgl. dazu weiter unten S.106 und KEMPINSKI 1983 : 124f. und 225.

36 Auch die paläographische Untersuchung der Inschrift auf dem Kalkstein unterstützt eine solche frühe Datierung (VAN DEN BRANDEN 1979 : 236f.). VAN DEN BRANDEN liest (von rechts nach links) : rdm mkr dzlt "Rudâm, Händler von...".

37 Vgl. unsere Anm.33.

38 An dieser Stelle soll noch ein leider sehr schlecht erhaltenes Basalt-Relieffragment vom Tell Mardich erwähnt sein, das evtl. einen Mann im Wulstsaummantel zeigte (BOERKER-KLAEHN 1982 : No 281).

   Hinzuweisen ist hier auch auf eine Basaltstatue im Cleveland Museum of Art, die von KOZLOFF (1972) beschrieben, datiert und interpretiert wurde. Leider handelt es sich bei diesem Stück um eine Fälschung, wie uns brieflich von Dr. D. COLLON (London) bestätigt wurde. Verschiedene Details (das archaische Lächeln, die Hörnerkappe, das Gefäss in der Hand etc.) werden von Collon zur Begründung ihres Verdachts angeführt.

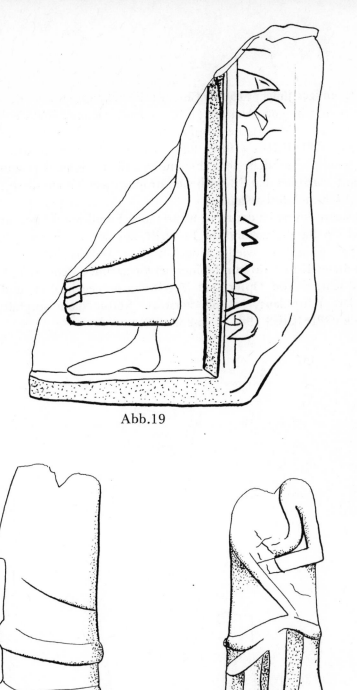

Abb.19

Abb.20

Um einiges jünger (1500 v.Chr.) ist die bekannte Statue des thronenden Königs Idrimi von Alalach (1,10 m hoch, Kompositgestein) (Abb.22). Idrimi trägt die syrische Kopfbedeckung und den Wulstsaummantel, zu dem R. OPIFICIUS (1981: 284) bemerkte : "Die Eleganz dieses Kleidungsstückes ist dem abstrahierenden Stil des Künstlers zum Opfer gefallen." Auch bei den SB-zeitlichen Bronzen werden wir diese Tendenz zur "Verflachung" feststellen.

Beachtenswert ist der recht informative Fundkontext des Sitzbildes, vor allem ein Basaltaltar und die Inschrift, aus der u.a. hervorgeht, dass Idrimi den Ahnenkult wieder eingeführt hat. Daraus dürfen wir schliessen, dass dieser König aufgrund seiner hervorragenden Bedeutung für die Stadt nach seinem Tod Opfer und Verehrung entgegennahm, und zwar dreihundert Jahre lang, bis die zerstörte Statue dann sorgfältig bestattet wurde (OPIFICIUS 1981: bes. 285-289).

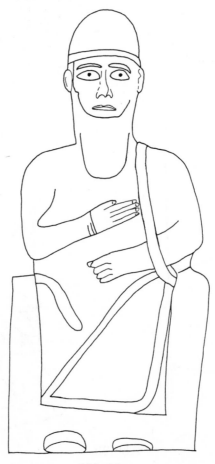

Abb.22

Wir kommen zu einigen Bronzefigürchen, von denen das bekannteste, die bereits erwähnte Bronze aus Mischrife (Qatna, 30-40 km nö von Qadeš) (Abb.23), auch schon gelegentlich zum Vergleich mit den Figuren der altsyrischen Glyptik herangezogen wurde.

Der Thronende mit der ovalen Kopfbedeckung, deren eingezeichnete Hörner die Göttlichkeit oder Vergöttlichung ihres Trägers andeuten (39), streckt den rechten Unterarm aus dem Gewand hervor, das durch Wulstsäume um die Schultern und bis zu den Knöcheln sowie durch einen "Fransenschal", der auf den Knien aufliegt, gekennzeichnet ist. Der linke Arm ist an den Leib gelegt. Der Gewandtyp entspricht am ehesten unserem Typ A, wenn auch der Schal an die Gruppe C erinnert. Die Bronzefigur aus Qatna ist leider von ihrer Fundlage her nur vage zwischen dem 18.-12. Jh.v.Chr. datiert (NEGBI 1976: 53). Der stilistische Vergleich mit der Alalach-Glyptik ermutigt uns jedoch zu einer Datierung in die MB-Zeit, wie sie auch schon verschiedentlich vorgeschlagen wurde (40).

Stehende und Thronende im Wulstsaummantel fanden sich in Form von sehr schlanken kleinen Bronzestatuetten vor allem bei den Ausgrabungen in Ugarit. Die Wulstsäume sind deutlich erkennbar, in den meisten Fällen aber ist die Anordnung des Gewandes weniger typisch, gemessen an den Vorbildern aus der Glyptik und den Kalksteinfunden.

Von den Statuetten aus Ugarit sei vor allem die 13,5 cm hohe Bronzefigur mit Goldblechüberzug eines Thronenden genannt, die im Fundament eines Hauses in der Südstadt zusammen mit drei anderen Kleinbronzen entdeckt wurde (Abb.24). Die diagonal verlaufenden Wulstborten auf der Brust und vom Knie zu den Knöcheln sowie der untere Saum des Gewandes weisen das Kleid als syrischen Wulstsaummantel aus (vgl. unsere Abb.6). Mit einiger Wahrscheinlichkeit ist die hier dargestellte Gottheit mit dem Göttervater des ugaritischen Pantheons, El, zu identifizieren (41).

Das Gewand einer weiteren, etwa gleich grossen, stehenden Bronzefigur aus Ugarit, einst wohl auch mit Edelmetall überzogen, zeigt ebenfalls die wulstigen Verdickungen der Borten; jedoch scheint der Mantel nicht gewickelt, sondern schliesst vorn mit senkrecht verlaufenden Wülsten (Abb.25). Die Kopfbedeckung, vermutlich aus anderem Material, fehlt jetzt.

39 Vgl. weiter oben im Text S. 65.
40 MATTHIAE (1962 : 54f.) referiert verschiedene Datierungsversuche und die jeweiligen Argumente. Er selbst schlägt als unterste Grenze das 17./16. Jh.v.Chr. vor (wie DUSSAUD).
41 Vgl. LAND DES BAAL 1983 : zu No 121. Dass El und nicht Baal dargestellt ist, zeigt die ikonographische Tradition : der jugendliche Baal steht und trägt einen Schurz, El hingegen thront in langem Gewand.

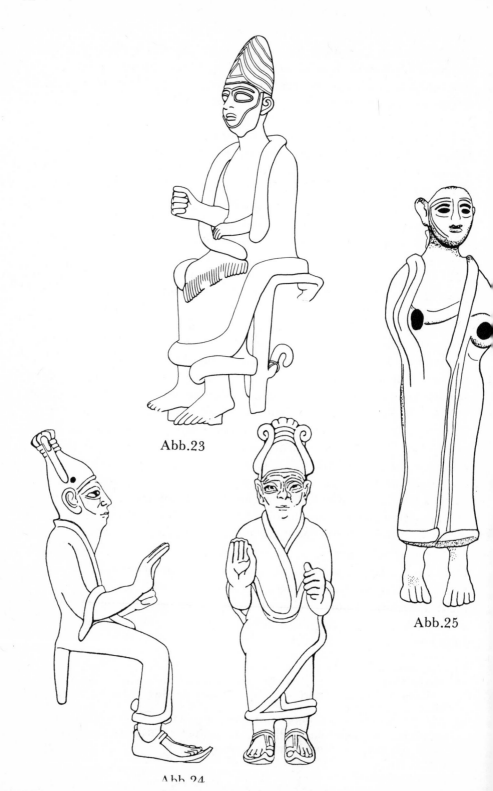

Abb.23

Abb.24

Abb.25

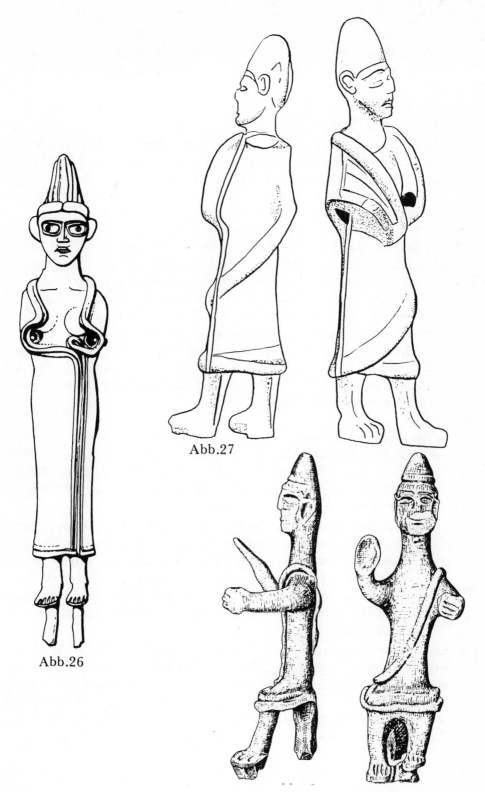

Abb.26

Abb.27

Sehr ähnlich ist ein Stehender mit Spitzkappe, den der Ausgräber C.F.A. SCHAEFFER aufgrund der Schichtzugehörigkeit ins 19.-17. Jh. v.Chr. datierte (Abb.26) (42). Alle bislang erwähnten Bronzen wurden jedoch in jüngerer Zeit eher als Zeugnisse mittelsyrischer Kunst (15.-14. Jh.v.Chr.) angesehen.

Das gilt auch für den etwa 15 cm grossen Mann im Wulstsaummantel und mit ovaler Kopfbedeckung aus Souedie (Libanon) (Abb.27) (43). Diese Figur ist den syrischen"Fürsten"der Glyptik nun allerdings so ähnlich in Haltung und Gewandtyp (A) wie auch Stil (44), dass die Herkunft des Stückes aus der MB-Zeit von hoher Wahrscheinlichkeit ist.

Aus SB-zeitlichem Fundkontext stammt das Figürchen eines Thronenden aus Kamid-el-Loz (Abb.28) (45). Der rechte Arm ist wie bei Abb.24 grüssend erhoben. Kegelförmige Kopfbedeckung und ein Wulstsaum, der über die Schulter auf den Rücken gleitet, lassen uns in der etwas disproportionierten Figur den "Fürsten" wiedererkennen. Wir dürfen annehmen, dass Entstehungszeit und Fundkontext hier nicht übereinstimmen. Stilistisch ist eine frühere Datierung wahrscheinlicher.

In der Haltung ähnlich wie die Figürchen der Thronenden aus Ugarit und Kamid-el-Loz (Abb.24 und 28) ist ein Exemplar, das sich bei den Ausgrabungen in Megiddo (Stratum IX-VII) fand und vage in die SBI-EI-Zeit datiert wurde (Abb.29) (46).

Abschliessend können wir nun als Beispiel für unseren Gewandtyp C noch die Bronze-Plakette aus Hazor (Abb.30) anführen, die von P. BECK (1983: bes. 80) aufgrund der Parallelen in der Glyptik in die MB-Zeit datiert wurde. Diese Aehnlichkeit wird in der Gegenüberstellung mit den Figuren aus unseren Abb.13 und 14 sehr schön sichtbar (Abb.31).

Der Wulstsaummantel und die ovale Kopfbedeckung sind, soviel dürfen wir nach diesem Streifzug durch die Stein- und Bronzekunst festhalten, auch ausserhalb der altsyrischen Glyptik im Bereich Syrien/Palästina durch verschiedene Funde gut bezeugt, von denen ein grösserer Teil zeitlich ebenfalls in die MB-Kultur verweist, während andere, die Idrimi-Statue und die Bronzen aus Ugarit, aus der mittelsyrischen, d.h. SB-Zeit stammen (47).

Eine solche Kontinuität in Motiven und Gestaltung über Jahrhunderte hinweg ist durchaus kein Einzelfall in der altorientalischen Kunst. Wir können hier beispielsweise auf die zahlreichen Terrakottareliefs aus Palästina hinweisen, die eine nackte, ihre Brüste haltende Frau zeigen. Dieser Typ ist vom Beginn der SB- bis zum Ende der E-Zeit verbreitet gewesen, ohne sich wesentlich zu verändern (48).

Abb.29   Abb.30   Abb.31

42 NEGBI 1976 : 42ff. datiert die Figur in die SB-Zeit. Vgl. auch SCHAEFFER
    1939 : Pl.28-30 = NEGBI 1976 : No 1648 die Wulstsäume am schön gemusterten
    Gewand einer thronenden Göttin. NEGBI, op.cit. No 1630 (= LAND DES BAAL
    1982 : No 123), ebenfalls aus Ugarit, zeigt eine weibliche Figur in einem Gewand
    mit Wulstsäumen. NEGBI ordnete diese in ihre syro-anatolische Gruppe (SBII)
    ein. Vgl. auch ibid. No 1430.
43 Vgl. zur Datierung NEGBI 1976 : 45. Der genauere Fundkontext ist unbekannt.
44 Im Gegensatz zu den Ugarit-Bronzen wirkt die Figur weniger steif (man beachte
    die Schrittstellung) und in den Formen kräftiger. Die Wulstsäume sind voller als
    bei allen vorangehenden Beispielen.
45 Vgl. zur Datierung HACHMANN 1980 : 73. In der linken Hand befand sich einst
    ein Gegenstand (Stab ?).
46 Vgl. die Tabelle bei NEGBI, op.cit. 57.
47 Auch für unseren Typ C, dem wir hier nicht mehr nachgehen, lässt sich eine ähn-
    lich breite zeitliche Streuung feststellen. Vgl. die Stele des "Baal au foudre"
    (PRITCHARD 1969 : No 490 = MATTHIAE 1962 : Tav.20) aus Ugarit, die
    neuerdings wieder in die altsyrische Zeit datiert wird (vgl. KUEHNE 1980 : 67
    Abb.11). Der kleine Verehrer vor der Gottheit hat grosse Aehnlichkeit mit der
    Bronze-Plakette aus Hazor (Abb.30), die von P. BECK ebenfalls als MB-zeitlich
    eingestuft wird. Die bekannte Vertragsstele des 14. Jhs.v.Chr. aus Ugarit (MAT-
    THIAE 1962 : Tav. 22 = PRITCHARD 1969 : 608) zeigt Figuren in vergleich-
    baren Gewändern. NEGBI (1976 : 42) zog einen Vergleich mit den beiden Bron-
    zen aus Aleppo und Souedie (ibid. Nos 1430 und 1432).
48 Vgl. WINTER 1983 : Abb.22-24.27-35.

III. DIE "FUERSTEN" AUF DEN SKARABAEEN DER MBIIB-ZEIT IN PALAESTINA

Im anfangs bereits zitierten Artikel hatte O. TUFNELL erstmals ein Dutzend Skarabäen der MBIIB-Zeit mit dem Mann im syrischen Gewand zusammengestellt. Bis auf zwei Exemplare unbekannter Herkunft (TUF-NELL 1956 : Nos 4.7) stammten alle aus Ausgrabungen in Israel. Im folgenden werden wir auf eine etwa doppelt so grosse Anzahl von MB-zeitlichen Skarabäen mit dem Motiv des (syrischen) "Fürsten." rekurrieren können,welche bei offiziellen Grabungen zutage kamen (50).

Der Grossteil der Skarabäen zeigt einen nach rechts blickenden stehenden bzw. thronenden Mann im Wulstsaumgewand oder in einem langen Kleid, mit syrischer Haartracht, umgeben von ägyptischen Hieroglyphen oder Symbolen. Wir werden nun Stück um Stück beschreiben (51), Unterschiede und Gemeinsamkeiten festhalten sowie einige Detailprobleme erörtern. Das Ziel dieser ausführlichen Darstellung ist ein doppeltes, nämlich (erstens) die Herleitbarkeit des Wulstsaummantel-Fürsten aus der altsyrischen Glyptik und (zweitens) die Gleichzeitigkeit von syrischer und ägyptischer Inszenierung dieses Motivs im Palästina der MBIIB-Zeit nachzuweisen (52).

Abb.32 ist innerhalb der Gruppe der Skarabäen mit syrischen "Fürsten" von ganz besonderer Bedeutung. Der Mann auf dem Skarabäus vom Kibbuz Barqai (am westlichen Zugang zum Wadi Ara), der ein Gewand mit breiten diagonal verlaufenden Borten trägt, in das der linke Arm eingewickelt scheint (53), zeichnet sich durch seine hohe ovale Kopfbedeckung aus. Inmitten der ägyptischen Hieroglyphen links und rechts steht hier eindeutig ein altsyrischer Wulstsaummantelträger vor uns.

Abb.32

Sehr gut erkennbar sind die Wulstsäume auf einem Exemplar aus Jericho (Abb.33). Auch hier ist die linke Schulter bedeckt, der linke Arm nicht sichtbar. Anders als bei Abb.32 fehlt die ovale Kappe (54).

Der typisch syrischen Haartracht (55) werden wir auf vielen weiteren Stücken begegnen. In der herabhängenden Rechten hält der Mann im Wulstsaumgewand einen Gegenstand oder ein Zeichen, das einige Rätsel aufgibt. Da dieses schlingenartige Gebilde noch auf anderen Skarabäen in der Rechten des stehenden Fürsten zu sehen ist, soll die Frage, um was es sich hier handeln könnte — ein missverstandenes *'nḫ*-Zeichen oder ein Krummschwert ? — erst an späterer Stelle diskutiert werden.

Abb.34 zeigt einen Mann mit noch kürzeren Haaren auf einem Skarabäus aus Nachal Tabor. Das durch Schraffuren und breite Borten markierte Gewand ähnelt dem bei Abb.32. Auch hier ist wieder nur der rechte Arm frei. In der herabhängenden Rechten hält der Mann wahrscheinlich eine grosse Blüte (mit Stiel) (56). Rechts sind ein *'nḫ*-Zeichen sowie ein Uräus mit der Roten Krone zu sehen, links ein *wȝd*-Zeichen.

Ein bisher unveröffentlichter Steatitskarabäus aus einem Grab in Sichem, der von der Ausgräberin C.CLAMER an das Ende der MBIIB-Zeit (ca. 1600 v.Chr.) datiert wird (Abb.34a), lässt eine in Kleidung und Haltung sehr ähnliche Figur erkennen. Das Gewand scheint aber vorn nur einmal übereinandergeschlagen zu sein. Ob das Zweiglein links Füllsymbol ist wie die *nfr-* und *'nḫ*-Zeichen oder ob der "Fürst" es in der freien rechten Hand hält, wie bei Abb.34 die Blüte, ist schwer zu sagen.

50 Wir hoffen, mit unserer Zusammenstellung dieses Motiv nun weitgehend erfasst zu haben.

51 Bisweilen wird die Abbildung eines altsyrischen Siegels zur Illustration in den Text eingeflochten werden.

52 Die Betonung liegt auf dem wirklich parallelen Auftreten solch syrischen und ägyptischen Kolorits. Wir denken nicht an eine "Aegyptisierung" syrischer Motive im zeitlich verfolgbaren Prozess.

53 Die kunstvoll verschlungenen Wulstsäume (Typ A) der Alalach-Glyptik sind auf den Skarabäen nicht auszumachen. Die Wicklung ist jedoch oft sehr ähnlich. Ausschlaggebend für die Typisierung sind meist der eingewickelte Arm einerseits, die freie Schulter andererseits und diagonal verlaufende breite oder dicke Borten. Vgl. die sehr ähnliche Figur bei COLLON 1975 : No 63.

54 Die Zeichnung der Kopfbedeckung ist, wie die Ueberprüfung an einer Photographie des Originals ergab, bei STOCK 1942 : Abb.36 falsch !

55 Vgl. PRITCHARD 1969 : Nos 2.4.6-9 die Darstellungen SB-zeitlicher Syrer (meist mit Bart), und die kurzen Haarschöpfe auf altsyrischen Siegeln (z.B. bei WINTER 1983 : Abb.201.203.218.224.225.234.236.280.292.319 u.a.). Vielfach ist bei diesen Frisuren das Ohr sichtbar.
Auf vielen Skarabäen ist das Auge als Strich parallel zum Haaransatz gezogen, so dass man geneigt ist, ein Stirnband zu erkennen.

56 Als sehr viel spätere Parallele dazu könnte man die Grabstele von Zinjirli (8. Jh. v.Chr.) anführen, wo der Tote mit einer Blüte in der Hand dargestellt ist (PRITCHARD 1969 : No 630).

Hingegen ist das Zweiglein auf dem Skarabäus aus einer Grabung vom Djebel Hussein (Amman, Akropolis) bei Abb.34b sicher ein Füllmotiv, denn der "Fürst" mit dem schulterlangen Haarschopf und dem typischen Wulstsaumgewand hält dort in der Rechten anscheinend ein *nfr*-Schlinge. Zwischen seinen Beinen erkennen wir ein weiteres Zweiglein, vor ihm ein *z3*- sowie zwei *nfr*-Zeichen übereinander.

Auf einem Skarabäus vom Tell Fara Süd (Abb.35) ist der freie Raum rechts durch zwei auf den Kopf gestellte *nfr*-Zeichen gefüllt. Das Haar des "Fürsten" ist schulterlang, die Borten seines Kleides sind schraffiert ähnlich wie bei altsyrischen Beispielen unseres Typs D (57). Wie bei Abb.33 fällt die merkwürdige Schlinge in der rechten Hand auf.

Recht ähnlich ist das folgende Stück, ein Steatit-Skarabäus an einem Bronzering, vom Tell es-Sultan (Jericho) (Abb.36). Hier stehen die *nfr*-Zeichen jedoch richtig. Die nach rechts blickende Figur trägt ein schraffiertes Gewand mit Wulstsäumen, gewickelt wie bei Abb.35. Der linke Arm ist weniger deutlich unter dem Gewand zu vermuten. Die diagonale Führung des oberen Kleidabschlusses weicht hier einer eher horizontalen Linie. Unterhalb des rechten Armes, eventuell in der Hand, erscheint ein *'nh*-Zeichen.

Aus dem Handel stammt ein sehr ähnliches Stück, das in einer Jerusalemer Sammlung aufbewahrt ist (Abb.37). Was der "Fürst" dort in der rechten Hand hält, bleibt fraglich.

Noch ein viertes Exemplar, aus einer Grabung auf dem Tell Adschul (Abb.38), zeigt den Mann im Wulstsaummantel vor zwei *nfr*-Zeichen, die hier nun gegenständig übereinander angeordnet sind. Das schulterlange Haar des "Fürsten" und die Wicklung des Gewandes entsprechen weitgehend Abb.35. In der Rechten befindet sich diesmal keinerlei Zeichen oder Gegenstand.

Nicht ganz geklärt ist die Herkunft eines MB-zeitlichen Skarabäus aus einer Privatsammlung (Abb.38a). Wir sehen den "Fürsten" inmitten einer Dekorlinie und vor ihm *nfr-, sw-* und *z3*-Zeichen übereinander.

Auch das Stück bei Abb.38b, wo wir unseren stehenden Mann im Wulstsaummantel, umgeben von *nfr*-Zeichen und Winkelhaken, diesmal mit einem spiralenförmigen Gegenstand in der rechten Hand erkennen, stammt leider nicht aus einer offiziellen Grabung in Israel. Es befindet sich im British Museum, London.

---

57 Vgl. WINTER 1983 : Abb.232.

79

Abb.33   Abb.34   Abb.34a

Abb.34b   Abb.35

Abb.36   Abb.37   Abb.38

Abb.38a   Abb. 38b

Durch einen gekrönten Uräus abgelöst sind die *nfr*-Zeichen auf den drei folgenden Stücken, die ebenfalls auf dem Tell Adschul gefunden wurden (Abb.39.40.41).

Abb.39 zeigt ein nicht besonders kunstvoll geschnittenes Stück. Die Rote Krone (58) scheint ein wenig missraten, ebenso der Arm und die Beine des Mannes. Das Gewand ist schraffiert, die übereinanderliegenden unteren Säume bilden ein Dreieck.

Abb.40 erinnert wiederum an die Art der Darstellung des "Fürsten" bei Abb.33 und 34. Deutlich erkennbar ist der eingewickelte linke Arm, die Wulstsäume sind wellenförmig übereinander angeordnet. In der Hand hält die Figur wieder eine Art Schlinge, die sich hier mit einer weiteren hinter dem Kopf des "Fürsten" (vgl. Abb.33 und 35) vereinigt. Die Rote Krone auf dem Uräus ist sorgfältig geschnitten, darüber ist noch eine Binse (Segge, *sw*) und ein Schilfrohr erkennbar.

Der "Fürst" auf dem dritten Skarabäus (Abb.41) wird flankiert von dem gekrönten Uräus (rechts) und einem auf dem Kopf stehenden Krokodil (59) (links). Was seltsam anmutet, ist, dass er zwar in der Haltung ganz seinen "Kollegen" auf den bereits beschriebenen Skarabäen entspricht, aber hier nur einen vorn übereinandergeschlagenen schraffierten Rock mit breiten Säumen trägt, der unterhalb des anliegenden Unterarms anzusetzen scheint. Der linke Arm ist angewinkelt, aber frei, dieAufsicht auf den Oberkörper nach ägyptischer Darstellungsweise frontal. Die rechte Hand hält keinen Gegenstand.

Abb.39   Abb.40   Abb.41

58 Zur Form und Bedeutung der Roten Krone vgl. LdAe III 812f. und HORNUNG/ STAEHELIN 1976 : 169.
59 Eine grosse Anzahl von MBIIB-Skarabäen, vor allem vom Tell Adschul, zeigen solche aufgerichteten, meist vorsichtshalber dreigeteilten Krokodile zusammen mit einer falkenköpfigen Figur. Zur Bedeutung des Krokodils in Aegypten vgl. LdAe III 791-801 und HORNUNG/STAEHELIN 1976 : 122-126.

Aus Hazorea stammt ein viertes Exemplar (Abb.41a), das einen "Fürsten", vor dem sich ein gekrönter Uräus aufbäumt, darstellt. Bemerkenswert ist hier, dass der Mann, der in Kleidung und Frisur an den von Abb.38 erinnert, auf einem Podest steht (60).

Auf einem solchen Podest steht auch der "Fürst" bei der folgenden Abbildung.

Abb.42 ist das letzte Beispiel in der Reihe der stehenden Wulstsaummantelträger. Die Darstellung des Gewandes auf diesem Skarabäus vom Tell Adschul ist frappierend ähnlich wie beim Exemplar aus Jericho (Abb.33) . Vor dem "Fürsten" sind von oben nach unten ein Gold-Zeichen, drei Schilfrohre, ein *nḥ*-Zeichen und ein Uräus zu sehen. In oder unterhalb der rechten Hand befindet sich ein *z3*-Zeichen (61).

Abb.41a   Abb.42

60 Eventuell handelt es sich dabei nur um eine weiterentwickelte Ausgestaltung der unteren Rundung des Ovals wie bei Abb.44 oben. Als solche fungieren auch die überaus zahlreichen *nb*-Zeichen auf MBIIB-Skarabäen (dazu HORNUNG/STAEHELIN 1976 : 170). Das Podest kann ein Hinweis auf die Göttlichkeit des solchermassen Erhöhten sein. Allerdings stehen auch Beter auf solchen Podesten (vgl. die bereits Anm. 47 genannte Baal-Stele und die beiden Verehrer mit Zweig auf einem Podest bei KEEL 1980 : 261 Fig. 63.64) oder Paare (vgl. unsere Abb.68). Die Uebergänge zum Motiv des Beters/Verehrers sind hier offensichtlich fliessend.

61 Zum Gold-Zeichen vgl. HORNUNG/STAEHELIN aaO. Hier sei noch auf zwei weitere Stücke vom Tell Adschul verwiesen, die stehende "Fürsten", allerdings nicht in der typischen Haltung oder Kleidung, zeigen (PETRIE 1934 : Pl. 5,54 und PETRIE 1952 : Pl. 9,32).

Bevor wir übergehen zu den MBIIB-Skarabäen, die einen thronenden Mann im Wulstsaummantel darstellen, wollen wir unsere Aufmerksamkeit noch einmal auf den spiralenartigen Gegenstand in der rechten Hand der Figuren Abb.33.35 und 40 lenken. Da bei Abb.37 deutlich ein *'nḥ*-Zeichen in der Hand des Fürsten zu sehen ist und bei Abb.42 ein *z3*-Zeichen unterhalb der Hand, kann man vermuten, in den übrigen Fällen sei ein Symbol mehr oder weniger missraten. Dagegen spricht aber doch die unübersehbare Aehnlichkeit dieser Schlingen auf den oben genannten drei Skarabäen. Auch ist die übrige ägyptische "ambiance" der syrischen Figuren ja durchaus richtig wiedergegeben : *'nḥ*-Zeichen, *nfr*, Schilfrohr, Uräus und Rote Krone sind richtig geschnitten.

Von den altsyrischen Siegeln her legt sich nun eine andere Interpretation nahe, die u.E. mehr Wahrscheinlichkeit hat und für die im folgenden einige Beispiele angeführt werden sollen. Auf den Rollsiegel-Abdrücken aus Alalach und anderen altsyrischen Siegeln finden sich nämlich bisweilen Männer mit dem sogenannten Krummschwert, einer Waffe mit kurzem Griff und gebogener, aussen scharfer Klinge, die in Aegypten erst ab dem Neuen Reich auftritt, für Mesopotamien aber seit sumerischer Zeit bezeugt ist. Uns wird vor allem die symbolische Bedeutung des Krummschwertes ("Siegesmacht" und "Triumph") interessieren (62).

Aus der Walters Art Gallery stammt das Rollsiegel Abb. 43, wo ein "Fürst" im Breitsaummantel ein Krummschwert hält. Abb. 44 zeigt ähnliche Krummschwerter auf einem bislang unveröffentlichten Siegel aus der Sammlung des Biblischen Instituts Freiburg i.Ue. (Hämatit; 2,22 cm; 1,25 cm Durchmesser). Es scheint mir denkbar, dass aus dem Krummschwert, evtl. weil es nicht mehr verstanden wurde, in der MBIIB-Zeit hakenförmige Zeichen geworden sind, die wie bei Abb.40 noch dekorativ ausgestaltet wurden (63).

---

62 Vgl. dazu KEEL 1974 : 136-138. KEEL erörtert dort auch die geschichtliche Entwicklung vom Krummholz oder der Sichelaxt zum Krummschwert. Die Bezeichnung "Sichelschwert" ist zwar allgemein noch üblich, jedoch irreführend, weil die scharfe Klinge beim Krummschwert aussen ist. Vgl. den Artikel "Krummschwert" in LdAe III 819-21. Der dort abgebildete Typ A entspricht unseren Beispielen am meisten. Ausführlicher hat sich H. BONNET (1926 : 85-96) mit dem Krummschwert beschäftigt. Vgl. besonders seine Abb.34.35. BONNET betont die Bedeutung des Krummschwertes als Zeichen der Herrscherwürde, sowohl in Babylonien als auch im gesamten semitischen Raum (aaO.92). Er vermutet, dass die Aegypter das Krummschwert durch vorderasiatische Völker in der Hyksoszeit kennenlernten (aaO.93). O. KEEL hat den Symbolgehalt "Siegesmacht" und "Triumph" stärker hervorgehoben. Vgl. auch weiter unten in unserem Text S. 105.

63 Vgl. weitere Krummschwerter auf altsyrischen Siegeln bei COLLON 1975 : No 193 und WINTER 1983 : Abb.200.266.292. Auf einem Rollsiegel aus Antakya aus dem 14./13. Jh.v.Chr. halten alle drei Personen das Krummschwert an der Klinge ! (COLLON 1983 : 115 No 103).

Abb.43

Abb.44

84

Abb.45

Abb.47

Abb.48

Abb.46

Abb.49

Abb.50

Wir kommen nun zu einer Gruppe von fünf Skarabäen, die thronende Fürsten zeigen, von denen einige sehr grosse Aehnlichkeit zu den thronenden Männern im Wulstsaummantel, wie wir sie in den vorhergehenden Kapiteln antrafen, aufweisen. Das typischste Exemplar (Abb.45) ist ein Skarabäus vom Tell ed-Duwer (Lachisch). Es zeigt einen nach rechts blickenden Thronenden in langem Gewand mit Wulstsäumen, dessen linker Arm wieder unter dem Kleid verborgen ist. Der rechte Arm weist angewinkelt nach vorne. Der Mann sitzt auf einem "löwenbeinigen Thronstuhl mit hoher Rückenlehne" (METZGER, o.J.:246-251). Der übrige Raum ist gefüllt durch Symbole (Winkelhaken, *nb, nfr,* Schilfrohr). Ein Rollsiegel aus der Yale Collection (Abb.46) zeigt einen Thronenden in genau derselben Haltung, allerdings auf dem syrischen "Tempeltorthron" (METZGER, o.J.: 235-257).

Den löwenbeinigen Throntyp hatten wir jedoch bereits auf dem früh datierten Rollsiegel bei Abb.7 vorgefunden. Das ägyptische Kolorit hat sich in diesem Gestaltungsdetail durchgesetzt. Alle Thronenden auf MB-Skarabäen (Abb.45.47.48.54.55) sitzen auf diesem Stuhltyp, der in Syrien vorzugsweise ein Herrscher- oder sogar Götterthron ist (METZGER, o.J.: 250f.) (64).

Der Skarabäus vom Tell Adschul (Abb.47) ist von seiner Fundlage her nicht datiert. PETRIE (1933:4) ordnete ihn wegen der Lotosblüten auf der Rückseite aber der MBI-Zeit zu (65). Für eine so frühe Datierung könnte zwar die Tatsache sprechen, dass wir hier das erste Mal einer nach links blickenden Figur begegnen — ein Hinweis darauf, dass der Skarabäus noch zum Siegeln gebraucht wurde (66). Stilistisch scheint uns jedoch eine Datierung dieses Stückes in die MBIIA/B gerechtfertigt.

Wir sehen einen Thronenden mit langem Gewand, der Oberkörper ist in der Aufsicht gezeichnet, an der Stirn bäumt sich wahrscheinlich ein Uräus auf. Der Mann streckt wie beim vorangehenden Skarabäus (Abb.45) den Arm gewinkelt vor, eventuell hält er einen Stab. Vor ihm sind zwei *nfr*-Zeichen und andere Hieroglyphen eingeritzt; die Rundungen des Skarabäus oben und unten sind durch *nb*-Zeichen bzw. Doppellinie und Schraffur ausgegrenzt.

64 Auf die bei METZGER (o.J. : Taf.109f.) gesammelten, vor allem SB-zeitlichen Belege für den löwenbeinigen Throntyp können wir hier leider nicht näher eingehen und berufen uns deshalb auf die Ergebnisse der Untersuchungen des Autors. Erwähnt seien hier die beiden Basaltstatuetten aus Hazor (op.cit. Nos 1157f.), die ins 14. Jh.v.Chr.datieren, und die etwas jüngere Ritzzeichnung eines Thronenden aus Ugarit (im Wulstsaummantel ?) (op.cit.No 1155).

65 Er kann aber nur auf zwei Skarabäen der 10. Dynastie (1932 : Pl.7, 103.106) mit Lotoszeichen verweisen, die u.E. beide auch in die MBIIB-Zeit gesetzt werden können.

66 Vgl. bei O.TUFNELL (1975 : Fig. 11.430) die seitenverkehrten Löwen bei frühen Exemplaren aus Kahûn.

Sehr aufschlussreich für die Frage nach syrischen oder ägyptischen Einflüssen in der Motivauswahl der MB-zeitlichen Skarabäen ist das nun folgende, am oberen Rand beschädigte Exemplar vom Tell Fara Süd (Abb. 48).

Vor einem Thronenden im langen Gewand, der nach rechts blickt und dessen Armhaltung wie in den oben beschriebenen Szenen einen Gruss-gestus meinen dürfte, steht eine Figur in langem schraffiertem Rock, die in eben derselben Weise grüsst, Der Thronende hält in der Linken einen Stab, vielleicht ein Szepter. Unterhalb dieser Szene ist eine schemenhafte, liegende Gestalt zu sehen.

Während nun die obere Szene einwandfrei in die Reihe der bereits ge-nannten altsyrischen Beispiele eingefügt werden kann (67), ist der liegen-de Mensch ohne Zweifel aus der ägyptischen Tradition als erschlagener Feind zu deuten. Die Herrschaft Pharaos manifestiert sich im Sieg über die Feinde; dargestellt wird dies im Bild des Königs, der gerade einen Feind niederschlägt, im Bild eines bereits Erschlagenen, häufig aber auch im Bild des Löwen, der Beute reisst (68). Aus Jericho (Abb.49) kennen wir einen MBIIB-Skarabäus, wo unter dem Löwen, der eine Gazelle anfällt, noch zusätzlich — zur Verstärkung quasi — ein erschlagener Feind liegt. Ein anderes Exemplar aus Jericho zeigt einen Löwen (König), der einen Mann (Feind) angreift (69).

Ein MBIIB-Stück vom Tell Adschul (Abb.50) zeigt ebenfalls einen beutereissenden Löwen. Dieser Szene ist eine Gestalt mit verehrend/seg-nend erhobenen Armen beigesellt, welche dem Verehrer auf Abb.48 — von der Ideenkonstellation dieser Bilder her — entspricht.

Dass dem Thronenden bei Abb.48 Verehrung entgegengebracht wird, bestätigen ein Skarabäus vom Tell-es-Sulṭan (Abb.51), der in die MBIIB-Zeit datiert ist, sowie ein Skarabäusabdruck aus Geser (Abb.52).

Abb.51

Abb.52

Bei Abb.51 sehen wir einen nach rechts gewandten "Fürsten" in Schrittstellung. Er trägt einen knielangen Rock und eine Kopfbedeckung. Die
eine Hand umfasst einen senkrecht stehenden Stab unterhalb der drei-
zackigen Spitze. Vor ihm bäumt sich anscheinend ein Uräus auf. Der
"Fürst" wird von zwei kleineren knieenden Figuren flankiert, wobei
die rechte mit einer Hand den Stab berührt, die linke den herabhängenden Arm des "Fürsten".

Bei Abb.52 ist der "Fürst" in der Mitte nach links gewandt, die
beiden Knieenden antithetisch zur Mitte. Sie halten mit einer Hand je
einen Stab, wobei der "Fürst" das Szepter links ebenfalls zu umfassen
scheint.

Abb.53

Abb.53a

Ein altsyrisches Siegel im Louvre (Abb.53) unterstützt die Interpretation dieser flankierenden Figuren als Verehrer oder Verehrerinnen, denn
die flankierte Grösse ist hier, wie auch auf einem ähnlichen Zylindersiegel aus Ugarit (70), einwandfrei eine Göttin. Die beiden Frauen, die die
halbnackte Göttin über den wilden Tieren knieend flankieren, halten ihre
Arme segnend bzw. verehrend hoch (71).

67 Vgl. oben Anm.16 die Rollsiegel, auf denen Beter mit diesem Gestus vor den
    Thronenden treten.
68 Vgl. die Ausführungen zum Motiv des Niederschlagens der Feinde bei KEEL
    1974 : bes. 51-76 und KEEL 2/1980 : 270-285. Vgl. aaO. Abb.397. Gefallene
    liegen auch häufig unter dem Wagen Pharaos. Ein Erschlagener unterhalb einer
    Szene mit einem Thronenden ist auch bei CONTENAU 1922 : No 311 zu sehen.
    Zum Pharao in Löwengestalt vgl. KEEL 2/1980 : 75f. und Abb.101.135.
69 ROWE 1936 : No 317.
70 SCHAEFFER-FORRER 1983 : 16ff. R.S. 6.089. Vgl. auch AMIET 1973 : 205,
    der die Flankierenden als "Schutzgenien" interpretiert.
71 Zur Verbindung der Elemente Abwehr – Segen – Verehrung – Gruss in dieser
    Geste vgl. KEEL 2/1980 : 287-292. Ein anderes syrisches Siegel (CONTENAU
    1922 : No 83) zeigt zwei Mischgestaltige, die mit erhobener Hand einen Herr-
    scher/Gott, der die Atefkrone trägt, verehrend grüssen. Vgl. auch die beiden ge-
    flügelten "Schutzgenien" aaO. No 84, die beide ein $w3d$-Szepter halten. Zur Form
    des gezackten Szepters bei Abb.51 vgl. WINTER 1983 : Abb.240 = DIGARD
    1975 : No 1177-1178.

Nur eine einzelne knieende Verehrergestalt finden wir dann vor dem "Fürsten" im Wulstsaumgewand bei Abb.53a, einem Stück aus der Sammlung des University College, London.

Die beiden letzten Exemplare mit thronenden "Fürsten" gleichen sich auffällig stark. Bei Abb.54 (vom Tell Geser) sehen wir einen nach rechts blickenden Mann in langem Gewand auf dem löwenbeinigen Thron. Auf dem Oberkörper des Thronenden ist ein Kreuz erkennbar. Sein rechter Arm liegt auf dem Schoss, der linke ist erhoben. Ein nb-Zeichen unten und Schraffierungen (?) rechts füllen die restliche Fläche des Skarabäus.

Abb.55 (vom Tell Mikal) weicht von dieser Darstellung im Wesentlichen nur durch die beiden Zeichen vor dem Thronenden ab.

Abb.54   Abb.55

Die weit ausholende Bewegung des linken Armes (72), die sich von der zurückhaltenderen Gestik in den vorangehenden Beispielen doch auffällig unterscheidet, ist eventuell vergleichbar mit Rollsiegelabdrücken aus Alalach (Schicht IV) (Abb.56) (73).

Ein Skarabäus aus dem Grab H 13 in Jericho (Abb.57) zeigt einen stehenden Mann im ägyptischen Schurz (74), der den linken Arm in der-

---

72 Vgl. auch einen Skarabäus vom Tell Adschul (F. PETRIE, 1952 Pl.9, 15 und p.7), wo in "tête-bêche" Anordnung zwei Figuren, eine thronende und eine stehende, diesen Gestus ausführen. Sie tragen beide lange Gewänder, sind aber nicht sicher als "Fürsten" zu identifizieren (eher Frauen?), weshalb wir dieses Exemplar ausklammern wollen (TUFNELL 1984 : II No 2795). Eventuell vergleichbar ist auch ein Stück vom Tell Fara Süd, wo eine Frau den linken Arm in dieser Weise hebt (PETRIE 1930 : Pl. X,79 = ROWE 1936 : No 286 = WILLIAMS 1977 : 60 Fig. 37,2). WILLIAMS (aaO.) interpretiert den erhobenen Arm als Verehrungsgeste.

73 Vgl. auch COLLON 1975 : No 223 und WINTER 1983 : Abb.279 = OPIFICIUS 1968 : No 43. Eine Hand erhoben haben in Aegypten nur thronende Göttinnen, die hinter einem Gott sitzen und diesen schützen (vgl. dazu O. KEEL 1982 : 462f. und Abb.23). Der König grüsst hingegen mit leicht abwärts geneigtem angewinkeltem Arm.

74 Vgl. zur Kleidung weiter unten und Anm.83.

Abb.56

Abb.57   Abb.58   Abb.59

Abb.60   Abb.61   Abb.62

selben Weise erhoben hat wie die Thronenden bei Abb.54 und Abb.55. Es scheint, dass er in der erhobenen Hand noch etwas hält. Die herabhängende Rechte trägt wieder einmal die "Schlinge" (vgl. Abb.33.35.40) (75). Auch ist ein *nfr*-Zeichen und ein Uräus mit unterägyptischer Krone (?) zu erkennen.

Alle drei Figuren bei Abb.54.55 und 57 tragen auf der Brust das Kreuzband. Jahrhundertelang gehört das Kreuzband, mit dem Lasten und Waffen auf dem Rücken gehalten werden, zur Ausstattung der Krieger im Alten Orient. Es bekommt gleichzeitig die symbolische Bedeutung von Macht und Sieg, wie M.H. POPE in seiner Studie überzeugend nachweisen konnte (76).

Abb.58 (vom Tell Fara Süd) ist ein vergleichbares Exemplar : ein Mann mit erhobener Linker — der Unterarm ist wie in den vorangehenden Fällen auffällig dick gezeichnet — steht auf einem *nb*-Zeichen. Er trägt den ägyptischen, weit vorstehenden Schurz. Vor ihm sind verschiedene Hieroglyphen eingeritzt.

Für den in dieser Weise erhobenen Arm gibt es nun weder in der altsyrischen Glyptik noch in Aegypten deutliche Parallelen, denn der Gruss- bzw. Segensgestus aller Figuren (vgl. unsere Beispiele weiter oben) auf altsyrischen Rollsiegeln ist eher eine Bewegung des Unterarms, und die kriegerische bzw. Siegesgeste des "niederschlagenden" Pharao zeichnet sich durch das weite Ausholen des zuschlagenden Armes nach hinten aus (77).

75 Vgl. weiter oben S. 82.

76 M.H. POPE 1970 : 178-196. Die ältesten Beispiele (vgl. aaO. Fig.11) die POPE anführt, stammen aus Aegypten um 2000 v.Chr. Das Kreuz auf der Brust ist dann als Glücks- und Lebenszeichen bei Liebes- und Kriegsgöttinnen nachweisbar (Ischtar, Atargatis) und geniesst bis in die christliche Symbolik hinein Bedeutung (aaO. 190ff.). Vgl. auch als Beispiele für das Kreuzband der Göttinnen vor allem in der altbabylonischen Glyptik WINTER 1983 : Abb.87.185-189. Auf einem bei SCHAEFFER-FORRER (1983 : 64 Chypre A 13) publizierten, MBII-zeitlichen Rollsiegel ist möglicherweise auf der Brust des Fürsten links auch ein Kreuzband zu sehen (vgl. TUFNELL 1984 : II Nos 2691. 2807).

77 Etwas höher erhobene Arme finden sich am ehesten noch in solchen Fällen, wo etwas in der Hand gehalten wird (vgl. z.B. WINTER 1983 Abb.120 (in der Nebenszene); Abb.203.216.283). Altbabylonische Siegel hingegen kennen den hoch erhobenen Arm auch als Grussgestus (vgl. z.B. KEEL 1974 : Abb.15.17) oder beim Festhalten des Feindes, der niedergeschlagen wird (aaO. Abb.19). Vgl. zum Thema "Siegeszeichen" die grundlegende Arbeit von KEEL, "Wirkmächtige Siegeszeichen" und ebd. besonders die Illustrationen zum Niederschlagen der Feinde Abb.21a-53. Für die nach hinten ausholende Hand mit der Waffe vgl. die syrischen Beispiele auf den folgenden Abbildungen bei WINTER 1983 : Abb.200-202.204.205.269-272.301.303. Die Gestik unserer Thronenden ist vielleicht auch vergleichbar mit der Verteidigungspose des Mannes auf dem Anm.69 erwähnten Skarabäus vom Tell es-Sultan.

In Verbindung mit dem symbolisch verstandenen Kreuzband ist m.E. eine Interpretation des nach vorne hochgerissenen Armes als Macht- oder Siegerpose erwägenswert. Andererseits finden wir das Kreuzband auch bei einem Verehrer auf einem Skarabäus vom Tell Fara Süd. Die verschiedenen Aspekte — Frömmigkeit/Verehrung einerseits und Macht andererseits — greifen hier ineinander (78).

Hatten wir schon bei Abb.48 und ebenso in der verschiedenen Kleidung der Figuren bei Abb.54-58 ein Nebeneinander von syrischen und ägypti- schen Motiven angetroffen, so wird bei den folgenden Skarabäen das Aufeinandertreffen dieser beiden Kulturkreise erneut augenfällig.

Abb.59, ein Siegelabdruck aus Geser, der wegen der Kerbbandumran- dung als MBIIB-zeitlich angesehen werden kann, zeigt einen syrischen "Fürsten" im Wulstsaummantel und mit Kopfbedeckung. Ihm reicht ein Mann im ägyptischen Schurz in der erhobenen Rechten eine Opfer- schale (?).

Die Szene als solche ist eigenartigerweise weder typisch ägyptisch (79) ·noch in der altsyrischen Glyptik nachweisbar. Dort hält meistens der Thronende eine Gabe in der erhobenen Hand, seltener der ihn Begrüs- sende (80).

Eine ähnliche Szene findet sich auf einem ägyptischen Siegel (aus dem Handel ?), das wahrscheinlich in die Hyksos-Zeit gehört (Abb.60) (81). Links ist wiederum der Mann im Wulstsaummantel zu sehen. Seine ovale Kopfbedeckung ziert vorn ein Uräus. Einen solchen trägt auch der vor ihm stehende "Aegypter" an der Stirn. Ob die Rechte des Verehrers segnend/ grüssend erhoben ist, oder, wie STOCK (1942: 30) meint, dem "Fürsten" ein Rauchopfer entgegenstreckt, muss hier offenbleiben. Wiederum fällt das harte Zusammentreffen von ägyptischer und syrischer Motivge- staltung — besonders in der Kleidung — auf.

---

78 Der erwähnte Skarabäus vom Tell Fara (STARKEY/HARDING 1932 : Pl. 43, 13) zeigt einen Verehrer im Schurz und mit dem Kreuzband, der eine grosse Blüte trägt. Zur Interpretation solcher Verehrerfiguren vgl. KEEL 1980 : 260f.

   Vgl. schon oben zum Podest Anm. 72. Für die Interpretation als Siegesgeste spricht vor allem die Kombination der Thronszene mit dem erschlagenen Feind (Abb.48).

79 Vielleicht vergleichbar sind ägyptische Darstellungen späterer Zeit wie z.B. auf einer Wandmalerei aus Theben (vgl. KEEL 2/1980 Abb.443), wo der König dem Gott ein Rauchopfer entgegenhält, oder bei MORET (1902 : Abb.232.233), wo der König vor dem Gott bzw. dem Uräus an dessen Stirn räuchert.

80 Beispiele sind WINTER 1983 : Abb.217 = VON DER OSTEN 1957: No 304; WINTER, op.cit. Abb.476 = SAFADI 1975 Abb.77 und unsere Abb.7.

81 Die Kerbbandumrandung spricht für eine Datierung in die MBIIB-Zeit.

Eine weitere Parallele zu dieser Szene können wir auf einem MBIIB-Skarabäus vom Tell es-Sulṭan ausmachen (Abb.61). Vor einer stehenden Figur mit leicht erhobenem Arm reicht wiederum ein etwas kleinerer Mann eine Schale (?) dar. Zwischen den beiden füllt ein ʿnḫ-Zeichen die leere Fläche. Aus Sichem und Taanach sind uns zwei MB-zeitliche Skarabäen bekannt, die einen einzelnen Opferdarbringer mit einer Räucherschale bzw. einem Krüglein darstellen (82).

Aus einer SB-zeitlichen Schicht stammt ein vergleichbares Motiv auf einem Skarabäus aus Megiddo (Abb.62). Dort hält der "Fürst" ein Szepter (?) in der Linken, während die vor ihm stehende Figur (eine Frau ?) segnend/verehrend die Rechte erhebt. Wahrscheinlich ist das Stück älter als der Fundkontext.

Die Begegnung von altsyrischen und ägyptischen Einflüssen spiegelt sich auch in den Darstellungen der folgenden zwei MB-zeitlichen Skarabäen. Ein bislang wahrscheinlich unveröffentlichter Steatit-Skarabäus aus Aschkelon (Abb.63) zeigt einen stehenden Mann in Schrittstellung nach rechts blickend. Seine linke Hand liegt auf der Brust, der Oberkörper ist dem Betrachter frontal zugewandt. In der linken, herabhängenden Hand hält er eine Blüte. Ringsum sind verschiedene ägyptische Zeichen eingeritzt. Haltung (angewinkelter linker Arm, Schrittstellung, rechter Arm frei herabhängend) und Haarfrisur stehen eindeutig in der Linie unserer syrischen "Fürsten" (Abb.32-42).

Aber, und das unterscheidet den Skarabäus aus Aschkelon von dieser Gruppe : der Mann ist ägyptisch gekleidet. Er trägt einen längeren Schurz, auch der Oberkörper ist bekleidet, wie die Linie am Hals erkennen lässt. Diese Art von Bekleidung tritt in Aegypten zu Beginn des Neuen Reiches auf (83,84).

---

82 Vgl. O. KEEL 1980 : 261 Fig.65 und 66.

83 Zur Kleidung der Männer in Aegypten im Mittleren und Neuen Reich vgl. z.B. ERMAN/RANKE 1923 : 235-237. Vgl. einen weiteren MB-zeitlichen Skarabäus aus Lachisch, der eine ägyptisch gekleidete Figur, die allerdings nicht die typische Haltung zeigt (der linke Unterarm ist waagerecht vorgestreckt), abbildet (TUFNELL 1958 : Pl. 36,235 und Pl.37,235).

84   Vgl. auch ein Stück vom Tell Adschul (PETRIE 1952 : Pl. 9, 34 und p. 7), wo der ägyptisch gekleidete "Fürst" ein Zweiglein oder eine Blüte hochhält. Auch hier ist wieder die Nähe zum Motiv des Verehrers, der ein Zweiglein trägt (vgl. oben Anm. 72 und 78) zu erwägen. Vgl. z.B. beiTUFNELL1958 : Pl. 32,97 und 33,97 einen Skarabäus aus Lachisch, bei dem ebenfalls fraglich ist, ob der ägyptisch gekleidete Mann an der Blüte riecht oder sie als Verehrer darbringt (vgl. TUFNELL 1984 : II Pl. 42).

Mit Abb.64, einem MBIIB-Skarabäus aus Megiddo, haben wir nun unseren syrischen "Fürsten" als ägyptischen König mit der Roten Krone vor uns. Er steht auf einem *nb*-Zeichen, und zwar auffälligerweise nach links gewandt. Er trägt einen kurzen Schurz, vor seinen Füssen liegt eine weitere Rote Krone; hinter ihm sind zwei *nfr*-Zeichen sichtbar. Mit der Hand hält er sich eine Blüte an die Nase (85).

Solche ägyptischen Könige finden sich auch auf altsyrischen Rollsiegeln neben typisch syrischen Szenerien, wie Abb.65, ein Stück aus dem Louvre, illustriert.

Mit den letzten beiden Skarabäen ist nun sozusagen der Mann im Wulst-saummantel von der "Bildfläche" verschwunden. Wir halten aber fest, dass diese ägyptische Gestaltung des Motivs in Palästina in etwa demselben Zeitraum anzutreffen ist wie die typischeren Beispiele des syrischen "Fürsten" in Abb.33-42.

Abb.63   Abb.64

Abb.65

---

85 Vgl. auch die in ähnlicher Art dargestellte Göttin Neith (?) auf einem Skarabäus aus Megiddo (STARKEY/HARDING 1932 : Pl.43,9). Ein beschädigter Skarabäus aus Megiddo (GUY 1938 : Pl.115,20) zeigt eine ägyptisch gekleidete Figur mit einem Szepter.

Ein nach der Chronologie von A. KEMPINSKI als sehr früh einzustufendes MBIIB-Amulett in Igel-Form aus Megiddo (Schicht XII), das noch vor dem Mann mit der syrischen Ovalkappe auf dem Skarabäus vom Kibbuz Barqai (Abb.32) zu datieren ist (KEMPINSKI 1983: 225), führt uns zu einer kleinen Gruppe von Skarabäen, die ein sich umarmendes Paar, einen Mann und eine Frau darstellen. Diese Skarabäen sind für uns von Interesse, weil auf dem Igel-Amulett aus Megiddo (Abb.66) der Mann deutlich einen Wulstsaummantel trägt (86). Er legt den linken Arm von hinten um die Frau, die langes, schön frisiertes Haar trägt (87) und einen gemusterten Rock. Sie hält ihrerseits den Mann mit der Rechten umschlungen. Beide sind einander zugewandt und schauen sich an. Die Szene ist aussergewöhnlich bewegt und anmutig in ihrer Gestaltung. Zwei Blüten füllen den freien Raum.

Aus einem MBIIB-Grab auf dem Tell Fara Süd stammt der Skarabäus Abb.67. Auch hier steht links der Mann, jedoch diesmal bekleidet mit dem ägyptischen Schurz. Er ist nach rechts gewandt. Vor ihm steht eine Frau im knielangen Rock, deren Oberkörper und Kopf sich zum Mann zurückwenden. Mit der Rechten scheint sie ihn zu umarmen. Beide stehen auf einem Podest (88).

Sehr ähnlich stellt sich das Paar auf einem MBIIB-zeitlichen Skarabäus der Sammlung Fraser-von Bissing in Basel (Abb.68) dar. Die Frau ist etwas grösser als der Mann. Ueber den beiden ist eine Mondsichel, rechts ein z3-Zeichen und ein weiteres, nicht identifizierbares Zeichen zu erkennen.

Fast identisch ist die Darstellung auf einem Stück aus Hazorea (Abb. 69). Ebenfalls ist deutlich der Rock der Frau, der bis über die hier gebeugten Knie reicht, vom Schurz des Mannes rechts zu unterscheiden.

Eine ganz ähnliche Szene zeigt ein Stück aus der ehemaligen Sammlung M. Dayan (Abb.70). Dort trägt die Frau ein langes, eng anliegendes Kleid, der Mann wiederum einen Schurz.

---

86 Vgl. unseren Gewandtyp B.
87 Auffällig langes Haar tragen in ägyptischen Darstellungen die Tänzerinnen und Spielerinnen bei Festen oder Prozessionen (vgl. z.B. PRITCHARD 1969 : No 211 und KEEL 2/1980 : Abb.450 eine Stele aus Abydos mit Mädchen, die die Handtrommel schlagen).
88 Vgl. dazu Anm.61.

Abb.66   Abb.67   Abb.68

Abb.69   Abb.70

Abb.71

Abb.72

Abb.73

Abb.74

Abb.75

Abb.76

Abb.77

Nun hat U. WINTER (1983: 357-368) in seiner Studie "Frau und Göttin" im Zusammenhang mit dem ikonographischen Motiv der sogenannten "Heiligen Hochzeit" eine beachtliche Anzahl von altsyrischen Rollsiegeln zusammengestellt und behandelt, auf denen Paare, die sich umarmen, bisweilen in der Hauptszene, oft in der Nebenszene auftreten. Ein frühes Beispiel ist ein Rollsiegel aus Kültepe (1. Viertel zweites Jahrtausend v.Chr.), wo links neben einer Einführungsszene ein Mann und eine Frau einander zugewandt sind (Abb.71). Der Mann trägt eine Breitrandkappe; er legt den linken Arm um die Schulter der Frau. Mit der Rechten greift er an ihr Gewand. Auch die Frau legt einen Arm um den Partner.

Häufig ergreift, wie die ausgewählten Beispiele auf Abb. 72 und 73 zeigen, in diesen Szenen die Frau die Initiative, indem sie das Handgelenk des Mannes umfasst und ihm den anderen Arm auf die Schulter legt (89). Abb.74, ein altsyrisches Rollsiegel in Paris, zeigt, bislang einmalig, wie die Frau auf dem Schoss ihres Partners sitzt.

Während auf den vorangehenden Siegeln babylonisch/syrische Gewänder (Falbelkleid, Breitrandmantel, syrische Ovalkappe) vorherrschen, muten die folgenden Abbildungen (Abb.75-77), die die Frau als Göttin mit der Hathorkrone darstellen und den Mann mit kurzem Schurz (Abb. 56, Alalach VII) bzw. Atefkrone (Abb.76, in Berlin), $w3d$-Szepter, 'nh-Zeichen (Abb.77, in der Sammlung Moore) ausgestattet, eher ägyptisierend an.

Syrische "Fürsten" im Wulstsaummantel, links mit Breitrandkappe, rechts mit ovaler Kopfbedeckung, flankieren das Paar bei Abb.76. U. WINTER konnte in seiner Studie zu "Frau und Göttin" überzeugend nachweisen, dass alle diese Umarmungsszenen (89) in der altsyrischen Glyptik eine "dezente" Gestaltung des im Alten Orient sehr verbreiteten Themas der "Heiligen Hochzeit" sind. Die Göttin — in unseren Beispielen ist es je eine andere (d LAMMA, die halbnackte syrische Göttin, die Göttin mit der Hathorkrone), vollzieht die "Heilige Hochzeit" mit dem Gott bzw. (vergöttlichten) Fürsten (90). Die Beliebtheit dieses Motivs

---

89 Vgl. weitere Beispiele bei WINTER 1983 : Abb.373.379.
90 Vgl. WINTER, aaO. 367f. Es ist nicht ausgemacht, ob eine solche "Heilige Hochzeit" in Syrien kultisch vollzogen wurde. Auf die interessante Vielfalt dieses
    Themas können wir an dieser Stelle leider nicht eingehen. Während die Frau als
    Göttin identifizierbar ist, gibt nur die Atefkrone bei Abb.76 genügend Anlass,
    den Mann als Gott zu bezeichnen. Meistens wird es sich um einen Fürsten handeln; die Initiative liegt in diesen syrischen Szenen sowieso bei der Göttin, so dass
    von daher eine Gleichrangigkeit der Personen nicht unbedingt vorausgesetzt werden kann (WINTER, op.cit.368).

in der Kleinkunst (91) ist ein Hinweis darauf, dass man sich von der Darstellung eines solchermassen idealisierten Paares, von der Lebenskraft in der angedeuteten geschlechtlichen Vereinigung lebensfördernde Macht und vielleicht auch Schutz versprach. WINTER weist in diesem Kontext auch auf den ehrfurchtsvollen Gruss der beiden Nebenpersonen bei unserer Abb.74 hin. Dieser gelte "nicht irgendeinem sich umarmenden Liebespaar, sondern nur einem Paar, das zum Idol geworden ist und eine entsprechende Ausstrahlungskraft besitzt" (WINTER 1983: 362) (92). Für eine lebensfördernde und unheilabwendende Funktion der Umarmungsszenen auf den Siegeln spricht auch die Kombination mit Jagdmotiven (Abb.72) oder dem König, der einen Feind am Schopf fasst und erschlägt (Abb.77).

Es bleibt nun noch ein Skarabäus aus Megiddo (Abb.78) zu erwähnen, der in die Reihe der Paarszenen gehört und doch auch etwas Spezifisches hat. Er wurde bei einer Grabung in der Schicht XI gefunden, und ist somit etwa gleichzeitig zu den Siegelabrollungen vom Tell Atchana (Schicht VII) anzusetzen (KEMPINSKI 1983: 225).

Abb.78

Unter einer Flügelscheibe und einem *w3d*-Zeichen flankieren links ein Mann und rechts eine Frau in langem Gewand eine Kartusche, in der sich ein *nfr*-Zeichen befindet. Die Figuren stehen auf einem *nb*-Zeichen. Der Mann ist nach rechts gewandt, sein rechter Arm ist gerade ausgestreckt auf den Kopf der Frau zu. Diese hat ihren rechten Arm ebenfalls über die Kartusche erhoben.

91 Es ist verblüffend, wie lange dieses Thema beliebt ist und dass es anscheinend durch alle Gesellschaftsschichten hindurch bekannt war und "kultiviert" wurde (vgl. WINTER, op.cit. Kap.III C 5 und Abb.340.367).

92 Vgl. ibid. Anm.794. Vgl. auch die Geste der beiden Göttinnen links und rechts bei Abb.75.

100

Nun könnte man annehmen, dieses Paar, das, statt sich zu umarmen, ein
Zeichen für Glück und Vollkommenheit flankiert, sei einfach eine Vari-
ante zu dem Motivtyp, wie er sich in den vorangehenden Beispielen
herauskristallisierte. Es gibt jedoch auf einer Wandmalerei aus einem Grab
des Mittleren Reiches (Beni Hasan; 11. Dynastie 2134-1991a) eine sehr
ähnliche Zeichnung von einem Paar (Abb.79) (93), wobei dann diese
Darstellung gefolgt wird von einer "Bettszene", was für die Interpretation
unserer Szene recht aufschlussreich ist, zumal wir mit der 11. Dynastie
zeitlich ja nicht sehr weit von Megiddo XI entfernt sind. Der Mann hebt
die Linke, so dass er fast das Gesicht der Frau berührt. Sie erwidert diese
Geste, indem sie den rechten Arm ein wenig hebt. Weniger zaghaft ist
dann die Koitusdarstellung auf dem hohen Bett, die wir ganz ähnlich auch
von frühdynastischen Rollsiegeln kennen (94).

Abb.79   Abb.80

93 Die "Bettszene" wurde irgendwann im 19.Jh.n.Chr. ausgekratzt, so dass NEW-
    BERRY nur auf LEPSIUS verweisen kann.
    An dieser Stelle sei noch verwiesen auf zwei Stücke aus Geser (MACALISTER
    1912 : II Nos 74.127 und III Pl.204a,2; 206,27). Beide datieren in dieMBIIA/B-
    Zeit. Auf einem Ovoid sehen wir zwei Frauen, die eine Kartusche flankieren;
    auf dem Skarabäus zwei Figuren (wohl auch beide Frauen), die sich, ähnlich wie
    bei unserer Abb.78 über ein z3-Zeichen hinweg berühren. Hier erkennen wir
    bereits wieder den fliessenden Uebergang zu den Bündnis(?)-Szenen, wo zwei
    gleichgekleidete Figuren sich die Rechte geben bzw. zu den antithetischen Paaren
    am Lebensbaum (vgl. TUFNELL 1958 : Pl. 37,316 und 38,316; PETRIE 1934 :
    Pl. 5,119; PETRIE 1952 : Pl. 9,17). Nur auf einem Exemplar, das aus der Gegend
    etwa 7 km nördlich von Jerusalem stammt, erkennt man den sehr schön geschnit-
    tenen nackten Körper der Frau unter dem langen Kleid. Der Mann trägt einen
    kürzeren Schurz. Beide flankieren eine Blüte auf langem Stiel. Der Skarabäus
    befindet sich in einer Privatsammlung in Freiburg/Schweiz.

94 Vgl. das Rollsiegel aus Chafadschi (WINTER 1983 : Abb.357 = AMIET 2/1980
    Taf.91 No 1202 = FRANKFORT, 2/1964 No 340) und ein Rollsiegel vom Tell
    Asmar (WINTER, op.cit. Abb.358 = KEEL 2/1980 Abb.388 = FRANKFORT
    2/1964 No 559 = AMIET 2/1980 Taf.91 No 1203). Vgl. auch die Terrakotta-
    reliefs bei WINTER, op.cit. Abb.347-350.360.

Der Skarabäus aus Megiddo (Abb.78) steht somit in einer ägyptischen Tradition, während die vorhergehenden Paarszenen deutlich der altsyrischen Glyptik verwandt sind. Die hier erneut erwiesene Gleichzeitigkeit syrisch und ägyptisch beeinflusster Motivgestaltung in der MBIIB-Zeit in Palästina ist auf dem Ugarit-Rollsiegel bei Abb.80, das zwischen 1850 und 1750 datiert wird (SCHAEFFER-FORRER 1983: 22) sogar in einem einzigen Bild greifbar. Neben dem syrischen "Fürsten" im Wulstsaummantel, der vor Baal seine Referenz erweist, sehen wir eine Frau/Göttin mit ihrem Partner in ägyptisierender Paarszene.

IV. ZUR DEUTUNG DES MANNES IM WULSTSAUMMANTEL UND DER MBIIB-MOTIVE AUF SKARABAEEN AUS PALAESTINA

Wir haben bei unserer Suche nach den Vorläufern des "Fürstenmotivs" auf den Skarabäen der sogenannten "Hyksos"-Zeit eingesetzt mit dem Befund in der altsyrischen Glyptik und haben die Frage nach der möglichen Herkunft der Männer im Wulstsaumgewand, wie sie sich uns auf den Rollsiegeln zeigen, nicht gestellt.

Da ein "Zurück zu den Ursprüngen" für die Interpretation eines Themas auch nicht unbedingt aufschlussreich sein muss, wollen wir uns hier damit begnügen, auf die altbabylonische Glyptik zu verweisen, wo es neben dem bekannten Stufengewand bereits häufig Männer in verschiedenen Arten von Wickelgewändern gibt, von denen manche den Wulstsaummänteln (Typ B, C) sehr nahekommen (95). Auch die Haltung − der angewinkelte Arm − entspricht der unserer altsyrischen Gestalten. Auf fast allen altbabylonischen Siegeln handelt es sich bei der Figur im Wickelgewand um einen Beter (eventuell Fürsten), der von einer Mittlergottheit vor eine thronende Gottheit geführt wird und diese grüsst.

In der Alalach-Glyptik und auf anderen altsyrischen Rollsiegeln tritt der Mann im Wulstsaummantel nun einerseits als Verehrer vor einer Gottheit, z.B. der Göttin mit dem Zylinderhut oder Baal, auf (vgl. unsere Abb.1.3.11.79), dann auch in antithetischer Gruppierung (Abb.4.12)

---

95 Vgl. beispielsweise WARD 1910 : Nos 34.36.37.241.303a.319-321.325.326. 328.344-347.473. Eine Herkunft aus Altbabylonien würde mit COLLONs These, dass die syrische ovale Kopfbedeckung aus der Breitrandkappe entstanden sei, zusammengehen (dazu weiter oben). Das älteste Beispiel für einen Wulstsaummantel (Typ B) in der altsyrischen Glyptik findet sich auf einer Abrollung vom Tell Mardich (Ebla) (KUEHNE 1980 : No 35).

und andererseits als Thronender (Abb.6.8) bzw. Stehender, vor den eine andere Figur verehrend/grüssend hintritt. Da in der altsyrischen Glyptik die Kopfbedeckung des "Fürsten" nie Hörner aufweist und die ovale Kappe offenbar auch keine Rückschlüsse auf den genauen Rang des Trägers zulässt (vgl. die Austauschbarkeit bei Abb.6 und 7) (96), können wir wie D. COLLON mit grosser Wahrscheinlichkeit ausschliessen, dass es sich um einen Gott handelt. Das ambivalente Erscheinen als Verehrer einerseits und Thronender andererseits spricht dafür, dass es sich hier um irdische Würdenträger, eventuell Fürsten handelt, die eine Position zwischen Göttern und Menschen einnehmen, vielleicht auch (nach ihrem Tod) "vergöttlicht" wurden. Die Darstellung der verschiedenen Szenen auf Rollsiegeln bietet dem Besitzer des Siegels im einen Fall die Möglichkeit, seine eigene Frömmigkeit und Verehrungshaltung gegenüber der Gottheit durch die Darstellung des verehrenden "Fürsten" festzuhalten und zu bekräftigen; sie bietet ihm im anderen Fall die schützende und unheilabwendende Macht des quasi-göttlichen Herrschers, die im Bild beschworene Garantie der Stabilität seiner Weltordnung.

Auch die Bronzefigur aus Mischrife (Abb.23) mit ihrer Hörnerkappe ist eher als vergöttlichter Fürst denn als Gott zu interpretieren. Einzig beim Thronenden aus Ugarit (Abb. 24) haben wir sicher einen Gott vor uns. Die genaue Fundlage ist bei der Bronze aus Mischrife sowie bei vielen anderen der von uns behandelten Beispiele nicht bekannt, so dass eine Interpretation erschwert wird. Dass der Kalksteintorso aus Ugarit (Abb.20) in einer Tempelanlage gefunden wurde, die Stele von Tell Beit Mirsim (Abb.17) im "Herren"- oder "Patrizierhaus" und viele der kleinen Bronzen aus der Südstadt von Ugarit in Fundamenten von Wohnbzw. Handwerkerhäusern, zeigt, dass wir zu einer eindeutigen Klärung der Identität unserer "Fürsten" schwer durch die Archäologie gelangen. Sowohl kleine Idole als auch Beterfiguren, die im Tempel zur ständigen Verehrung aufgestellt wurden, sind denkbar (97). Allerdings könnten die Ergebnisse der Forschungen im Umkreis der Idrimi-Statue von Alalach die These vom vergöttlichten Herscher/Fürsten (97a) gut stützen.

96 Vgl. LAENDER DER BIBEL 1981 : No 212, wo zwei Männer im Wulstsaummantel voreinander stehen, wobei der eine die ovale Kopfbedeckung trägt. Ob er sich dadurch als die Figur höheren Ranges ausweist, bleibt zu fragen.

97 Für letzteres könnten eventuell auch die Zapfen bei einigen Bronzen sprechen, mit denen sie in ein Podest eingefügt wurden. Auch Götteridole mögen aber auf einem solchen Sockel gestanden haben. Vgl. LAND DES BAAL 1982 : Nos 122-124.

97a Hier ist auch auf die ugaritischen, mythischen Könige *Krt*, *Dani–il* und *Aqhat* hinzuweisen, die im Mythos götterähnliche Rollen einnehmen oder erstreben. Interessant ist in diesem Zusammenhang der Titel *endan* (evtl. "Gott") des hur-

Vor dem Problem, mit Figuren ohne besonders aufschlussreichen Kontext konfrontiert zu sein, stehen wir nun bei fast allen erwähnten Skarabäen der MBIIB-Zeit erneut, wenn auch in anderer Weise. Fehlt bei den Bronzen und Kalksteinstelen der genauere Fundkontext, so liegen bei den Motiven auf den Skarabäen in den meisten Fällen Szenen oder Figuren vor, die man im Vergleich mit denen der syrischen Glyptik als "abgekürzt" oder aus dem Zusammenhang gerissen empfindet. Wir haben z.B. einzelne Figuren im Wulstsaummantel vor uns, umgeben von Symbolen und Hieroglyphen. Die Ausführlichkeit der Szenerie in Abb.48-52.59-62 bildet die Ausnahme. Von ihnen her sind eventuell Aufschlüsse zur Deutung der singulären Figuren zu gewinnen. Auch die Paare bei Abb. 67.68.78 wären ohne die bereits aufgezeigten Verbindungen mit der syrischen Glyptik kaum zu verstehen. So haben wir für fast alle Motive auf den MBIIB-Skarabäen nachweisen können, dass sie gewissermassen aus den syrischen Rollsiegelszenen herausgelöst wurden und sich verselbständigt haben. O. KEEL (1980: 260f.) hat dieses Phänomen schon am Beispiel des häufigen Zweigträger-Motivs nachgewiesen. Von asiatischen und ägyptischen Zeugnissen her ergab sich, dass die Einzelfiguren mit Zweig, wie sie auf den Skarabäen der MBIIB-Zeit auftreten, als Prozessionsteilnehmer oder Verehrer zu verstehen sind.

Wir werden uns nun den verschiedenen Motivgruppen — stehender Mann, Thronender, Verehrerszene, Paar — noch einmal mit der Frage zuwenden, welche Bedeutung die Figuren und Themen haben, sowohl von ihrem ursprünglichen "Sitz in der altsyrischen Glyptik" her, als auch unter dem Aspekt, dass die allermeisten Skarabäen der MBIIB-Zeit ausgesprochene Amulette waren und nicht mehr zum Siegeln verwendet wurden (98). Was versprach man sich z.B. vom Bild des stehenden "Fürsten" im Wulstsaummantel? Wer war diese Gestalt für den Besitzer des Skarabäus in der damaligen Zeit?

Glücklicherweise befindet sich nun unter den wenigen Rollsiegeln, die man in Palästina bei Grabungen gefunden hat, eines vom Tell Adschul (Abb.81), das bislang nicht erwähnt wurde, aber nun eine Brücke schlagen kann zwischen den altsyrischen Siegeln und unseren Skarabäen.

ritischen Herrschers Tišatal von Karaḫar (1963-1940) sowie die Schreibung dieses Namens mit dem Gottesdeterminativ DINGIR. Vgl. noch weitere Belege für die Vergöttlichung osttigridischer Könige in der späten Ur III-Zeit bei WILHELM 1982 : 16. Für den Hinweis danke ich Herrn Prof. Dr. V. Haas, Konstanz.

98 Ausnahmen sind unsere Abb.47 und 64.

Wir sehen links den Mann im Wulstsaummantel, hinter ihm eine Reihe von 'nḫ-Zeichen. Er steht vor einem Wettergott mit Hörnerkappe, der in der einen Hand ein Blitzbündel zu halten scheint. Ganz rechts steht grüssend eine weitere Gottheit. Unser "Fürst" mit der typischen Verehrungsgeste trägt die ovale Kopfbedeckung. An dieser befinden sich nun anscheinend Hörner (99).

Der die Gottheit verehrende irdische Würdenträger rückt damit gewiss in die Nähe der Gottheit. Dass auch dem "Fürsten" auf den Skarabäen göttliche Qualitäten zugesprochen wurden und dass seine Eigenschaft als Verehrer bzw. Beter gegenüber diesen Qualitäten in den Hintergrund tritt, wenn auch nicht ganz verschwindet, lässt sich durch verschiedene Beobachtungen untermauern (99a) :

1. Die stehenden "Fürsten" auf den Skarabäen (Abb.32-42. 63-64), sowohl die "syrischen" als auch ihre "ägyptischen" Kollegen, entbieten nicht den verehrenden oder segnenden Gruss. Es geht also weniger um eine bestimmte Haltung oder ein Tun als um die Darstellung dieser Figuren an sich. Es wäre denkbar, dass die starke Position der Fürsten, wie sie uns hier auf kleinen Bildträgern dokumentiert ist, auch die erst später ein-

. 99 Vorn könnte evtl. auch ein Uräus angebracht sein. Vgl. weitere Rollsiegel aus Palästina mit Wulstsaummantelträgern bei PARKER 1949 : No 15 (als Verehrer vor der nackten Göttin); No 174 (Verehrer im Breitsaummantel vor einer thronenden Gottheit); No 175 (Verehrer vor einer Göttin ?).

99a Eine scharfe Abgrenzung der beiden verschiedenen Funktionen wird man, wie wir auch oben schon sahen (vgl. Anm.60 und 85) nicht nachweisen können. Ebenso wie in der syrischen Glyptik schillert die Figur des "Fürsten" zwischen Verehrer und Verehrtem. Hier geht es nurmehr um die Gewichtung dieser beiden Aspekte.

setzende Veränderung in der Städtearchitektur mitbeeinflusst hat (100).

2. Die "Fürsten" sind alle umgeben von magischen Glücks- oder Lebenszeichen und Herrschaftssymbolen ('nḫ, z3, w3d, nfr, Lotosblüte, Rote Krone) sowie schützenden und apotropäischen Zeichen (Uräus, Krokodil) (101). Auch die "Schlinge" in der herabhängenden Hand einiger Figuren ist ja wahrscheinlich ein Triumphzeichen, wenn es sich um das Krummschwert handelt (102).

3. Die thronenden "Fürsten" sind von ebensolchen Zeichen umgeben. Sie nehmen, wie Abb.45 und Abb.47 vermuten lassen und Abb.48 unmittelbar zeigt, Verehrung entgegen.

4. Der "erschlagene Feind" auf dem Skarabäus Abb.48 bestätigt, dass es um den Aspekt der Macht des Thronenden geht. Das Kreuzband auf der Brust (Abb.54-57) und die damit verbundene "Siegerpose" weisen ebenfalls in diese Richtung der Interpretation.

5. Mit Abb.51 und 52 haben wir zwei Nachweise für die Verehrung eines Fürsten durch Knieende, wie sie z.B. auch auf einem altsyrischen Siegel einer Göttin zuteil wird. Abb.59-61 zeigen Verehrungsszenen in Form einer Opferdarbringung für einen "Fürsten".

Alle diese Indizien sprechen dafür, dass der "Fürst" auf den MBIIB-Skarabäen in erster Linie wegen der lebensfördernden und unheilabwehrenden Kräfte, die man sich von seiner Abbildung versprach, dargestellt wurde. Der Besitzer eines Skarabäus erwartete im Leben wie nach dem Tod von seinem Amulett magische Wirksamkeit, und diese wird hier im Bild der Siegermacht des Herrschers, d.h. konkret wohl des jeweiligen Stadtfürsten, der möglicherweise nach seinem Tod vergöttlicht wurde, beschworen. Von dieser Funktion her rückt die Repräsentation des "Fürsten" im Bild in die Nähe der ägyptischen Darstellung Pharaos, dessen Sieg über feindliche Mächte immer wieder bildhaft wird und so die Stabilität der Weltordnung garantiert (103).

100 Für Alalach, Megiddo und Sichem lässt sich, wie A. HARIF gezeigt hat, zwischen MBIIB- und SB-Zeit die Trennung von Palast und Tempel nachweisen. Dass strategische Gründe (Nähe zum Stadttor) bei der Verlegung der Paläste ausschlaggebend waren, sei unbestritten, doch erforderte der Schritt der Trennung von Gottes- und Herrscherhaus, zumal deren Einheit lange selbstverständlich gewesen war (vgl. HARIF 1979 : 162), wohl auch eine ideologische Vorbereitung.
101 Zur Symbolik der genannten Tiere und der Zeichen vgl. HORNUNG/STAEHELIN 1976 : 122-126.134.168-171.
102 Vgl. dazu weiter oben unsere Anm.62. Zum Podest bei Abb.42 vgl. oben Anm.61.
103 Einen Nachhall dieser Vorstellungen finden wir noch in alttestamentlicher Zeit, wenn in Hos 3,4 den Israeliten angekündigt wird, sie würden lange Zeit "ohne König und ohne Fürst (sr), ohne Opfer und ohne Massebe, ohne Ephod und Teraphim" auskommen müssen. König- und Fürstentum scheinen nämlich hier, wie die anderen kanaanäischen Einrichtungen, als bis dato von JHWH gewährte "Stützen" im Leben der Menschen aufgefasst zu sein. Ihre Zusammenstellung mit Kultpraktiken ist als Hinweis darauf zu deuten, dass sie mehr als nur politisch-repräsentative Bedeutung hatten, dass Israel der Verlust lebensfördernder und -stabilisierender Kräfte und einer wichtigen Mittlerinstanz droht.

Teilnahme an der Lebensfülle des vergöttlichten "Fürsten" versprach man sich auch von der Darstellung des "Liebespaares" (Abb.66-70), das auf die Macht der menschlichen Geschlechtlichkeit verweist, eine Macht, die gleichermassen faszinierte und erschreckte, so dass sie eine sehr wichtige Verbindung mit den Vorstellungen von Göttinnen und Göttern einging (104). Ob die Frau in solchen Szenen im Fall der MBIIB-Skarabäen ebenfalls eine Göttin meint oder die "Heilige Hochzeit" hier in der Vereinigung des irdischen bzw. vergöttlichten Herrscherpaares angedeutet ist, muss offenbleiben.

V. VERGLEICHENDE CHRONOLOGIE ZU EINEM TEIL DES BEHANDELTEN MATERIALS

Die Ergebnisse der neueren Untersuchungen A. KEMPINSKIs zu "Syrien und Palästina (Kanaan) in der letzten Phase der Mittelbronze II B-Zeit (1650-1570 v.Chr.)" bieten uns hier die Möglichkeit, einige der Skarabäen aus Palästina recht genau zu datieren. So ergeben sich folgende Anhaltspunkte :

1. Am weitesten zurück, nämlich in den Uebergang zwischen MBIIA und MBIIB, weisen Abb.6 und Abb.7 (kappadokische Rollsiegel); des weiteren Abb.66, das Paar im "altsyrischen Stil" aus Megiddo (Schicht XII), Abb.61, die Opferdarbringungsszene aus Jericho, Gruppe II (KEMPINSKI 1983: 153) sowie Abb.47 (Thronender vom Tell Adschul) (105).

2. Etwa parallel in die Zeit zwischen 1720 und 1650 v.Chr. sind dann im Anschluss folgende Fundstücke anzusetzen : alle Rollsiegelabdrücke aus Alalach (Schicht VII), die Stele vom Tell Beit Mirsim (Schicht D) (Abb.17), der Skarabäus von Barqai (Abb.32) mit dem Wulstsaummantelträger in der syrischen Kopfbedeckung, das "ägyptisierend" dargestellte Paar bei Abb.78 aus Megiddo (Schicht XI) sowie vier Skarabäen aus Jericho, die von K.M. KENYON ihren Gruppen IV-V zugeteilt wurden, also in die Schlussphase der MBIIB-Zeit gehören (106). Es handelt sich um Abb.33 (stehender "Fürst" im Wulstsaummantel); Abb.36 ("Fürst" vor zwei *nfr*- Zeichen); Abb.57 (Stehender mit Kreuzband und erhobener Linker); Abb.51 ("Fürst" flankiert von Stehenden). Auch der "Fürst" aus dem Grab von Sichem (Abb.34a) datiert um 1600 v.Chr.

104 Ich verweise an dieser Stelle auf die grundlegende Arbeit von U. WINTER (1983), in der der Autor dem weiblichen Gottesbild im Alten Orient nachgeht.

105 Wir unterteilen hier die MBIIB-Zeit (1750-1550 v.Chr.) nicht weiter (vgl. KEMPINSKI 1983 : 1f.)

106 Vgl. KEMPINSKI 1983 : 225.

3. Um 1550 bzw. später sind dann noch die Bronzefigur aus Megiddo (Schicht IX-VII) (Abb.29) und Abb.62, der Skarabäus aus Megiddo (Schicht IX),fixierbar.

Von diesem Befund her ist die stilistische Nähe der Skarabäenmotive in der MB-Zeit zur Alalach-Glyptik nun auch chronologisch fundiert. Dass Abb.78 mit seiner eher ägyptischen Motivgestaltung zeitlich neben die genannten Skarabäen aus Jericho rückt, unterstützt auch unsere Beobachtung, dass syrische und ägyptische Einflüsse in dieser Phase der MBIIB-Zeit in Palästina gleichzeitig auszumachen sind. Das Zusammenfliessen von ägyptischem und syrischem Einfluss konnten wir an vielen Details immer wieder feststellen : syrische und ägyptische Kleidung; syrische Thronszenen und ägyptisierende "löwenbeinige Throne"; syrische und ägyptisierende Paarszenen; syrische Thronende und ägyptische Erschlagene sind nur einige Beispiele.

Auch die Bildträger, Rollsiegel mit "unendlicher" Fläche einerseits, und Skarabäen mit einem sehr begrenzten Bildfeld andererseits, zeigen die starke, traditionsreiche Verbindung (Nord-)Syriens mit Mesopotamien und Palästinas mit Aegypten an. Das Aufeinandertreffen der beiden Kultursphären führt in der MBIIB-Zeit zu einer Vermischung, die auf unseren Skarabäen sehr komprimiert Gestalt annimmt. Für das nördliche Gebiet der Levante lässt sich der ägyptische Einfluss, besonders auf die Hafenstadt Byblos, schon für die Zeit zwischen 1850 und 1750 v.Chr. auf den Rollsiegeln nachweisen (vgl. Abb.79).

Die sogenannten "Hyksos"-Skarabäen aus Palästina zeigen also, um ein Fazit zu formulieren, niemand anderen als die Rollsiegel aus Syrien und die Stelen, Statuen oder Bronzen der Levante, nämlich den jeweiligen syrischen/kanaanäischen Stadtfürsten oder eine ähnlich angesehene Person. Die Macht dieser Fürsten war, wie wir oben gezeigt haben, nicht nur profan-politische Stärke. Vielmehr ist sie als numinose Macht quasigöttlicher Herrscher qualifizierbar, deren Herrschaft als heilige Herrschaft, Hierarchie angesehen war.

Es sind genau diese einflussreichen Herrscher, die nach einer Zeit der schubweisen Infiltration asiatischer Bevölkerungselemente in Aegypten die Macht an sich rissen und von den Aegyptern als "Hyksos" (Fremdherrscher) bezeichnet wurden (107).

107 Die Ergebnisse unserer Untersuchung stützen somit die neueren Thesen über die Herkunft und Identität der mit dem Namen "Hyksos" bezeichneten Herrschaft der XV. Dynastie in einer späten Phase der Zweiten Zwischenzeit (KEMPINSKI 1983 : 6). Die Hyksos waren weder ein Volk noch eine Rasse, die aus Syrien-Palästina nach Aegypten vordrang (vgl. dazu op. cit. 4-6), sondern einflussreiche syrisch-kanaanäische Stadtfürsten (vgl. auch M. BIETAK in : LdAe III 93-103).

LITERATURVERZEICHNIS

(Abkürzungen gemäss dem Verzeichnis der Theologischen Realenzyklopädie)

AMIET P., La glyptique mésopotamienne archaïque, Paris (CNRS) 1/1961, 2/1980.
— Artikel zu "Bas-reliefs imaginaires de l'Ancien Orient", La Revue du Louvre et des Musées de France 23 (1973) 205.
ALBRIGHT W.F., The Excavations of Tell Beit Mirsim II. The Bronze Age, AASOR 17 (1938).

BARRELET M.-T., Les déesses armées et ailées, Syr.32 (1955) 222-260.
BECK P., The Bronze Plaque from Hazor, IEJ 33 (1983) 78-80 und Pl. 8 B,C.D.
BERAN T., Fremde Rollsiegel in Boğazköy, in : Vorderasiatische Archäologie, Fs. A. MOORTGAT, Berlin 1964 27-38 und Taf.8.
BIETAK M., Artikel "Hyksos", LdAe III (1977) 93-103.
BOEHL F.M.T., Die Sichem-Plakette. Protoalphabetische Schriftzeichen der Mittelbronzezeit vom Tell balāta, ZDPV 61 (1938) 1-25.
BOERKER-KLAEHN J., Altvorderasiatische Bildstelen und vergleichbare Felsreliefs. Mit einem Beitrag v. Adelheid Shunnar-Misera, 2 Bde, Mainz 1982.
BONNET H., Die Waffen der Völker des Alten Orients, Leipzig 1926.
VAN DEN BRANDEN, Nouvel essai du déchiffrement des inscriptions protosinaïtiques, BeO 21 (1979) 156-251.
BRIEND J./HUMBERT J.B. (ed.), Tell Keisan (1971-76). Une cité phénicienne en Galilée (OBO Ser.Arch.1), Fribourg-Göttingen-Paris 1980.
BUCHANAN B., Catalogue of the Ancient Near Eastern Seals in the Ashmolean Museum. I. Cylinder Seals, Oxford 1966.
— Early Near Eastern Seals in the Yale Babylonian Collection, New Haven-London 1981.

CHAMPOLLION J.-F., Notices descriptives Vol.II (pp.1-358), Genf 1974 (Reprographie).
COLLON D., The Seal Impressions from TellAtchana / Alalakh (AOAT 27), Kevelaer/Neukirchen-Vluyn 1975.
— The Aleppo Workshop, UF 13 (1981) 33-43.
— The Alalakh Cylinder Seals, A new catalogue of the actual seals excavated by Sir Leonard Woolley at Tell Atchana, and from neighbouring sites on the Syrian-Turkish border (BAR Int. Ser. 132), Oxford 1982.
CONTENAU G., La glyptique syro-hittite, Paris 1922.

DELAPORTE L., Catalogue des cylindres orientaux et des cachets de la Bibliothèque Nationale, 2 Bde, Paris 1910.
— Catalogue des cylindres orientaux, musée du Louvre : I. Fouilles et Missions, II. Acquisitions, Paris 1920 (I) und 1923 (II).
DIGARD F. u.a., Répertoire analytique des cylindres orientaux, 3 Bde und 2 Zettelkästen, Paris 1975.

EISEN G.A., Ancient Oriental Cylinder and other Seals, with a Description of Mrs W.H. MOORE (OIP 47), Chicago 1940.
ERMAN A./RANKE H., Aegypten und ägyptisches Leben im Altertum, Tübingen 1923.

FORTE E.W., Ancient Near Eastern Seals, A Selection of Stamp and Cylinder Seals from the Collection of Mrs. W.H. Moore, New York 1976.
FRANKFORT H., Cylinder Seals, London 1939.
— Stratified Cylinder Seals from the Diyala-Region (OIP 72), Chicago 1955, 2/1964.

GALLING K. (Hrsg.), Biblisches Reallexikon (HAT I/1) Tübingen 1/1937, 2/1977.
GARSTANG J., Jericho : City and Necropolis. Third Report, AAA 20 (1933) 3-42.
GOPHNA R./SUSSMANN V., A Middle Bronze Age Tomb at Barqai, 'Atiqot (Hebrew Series) 5 (1969) 1-13.
GUY P.L.O., Megiddo Tombs (OIP 33), Chicago 1938.

HACHMANN R., Kamid el-Loz 1968-70 (Saarbrücker Beiträge zur Altertumskunde Bd.22), Bonn 1980.
HARIF A., Common Architectural Features at Alalakh, Megiddo and Shechem, Levant 11 (1979) 162-167.
HELCK W. u.a. (Hrsg.), Lexikon der Aegyptologie, bislang 4 Bde, Wiesbaden 1975ff.
HORN S.H., Scarabs and Scarab Impressions from Shechem III, JNES 32 (1973) 281-289.
HORNUNG E./STAEHELIN E. (Hrsg.), Skarabäen und andere Siegelamulette aus Basler Sammlungen (ÄDS Bd.1), Mainz 1976.

KARAGEORGHIS V., Kition auf Zypern, die älteste Kolonie der Phöniker, Bergisch Gladbach 1976.
KEEL O., Wirkmächtiges Siegeszeichen im Alten Testament (OBO 5), Fribourg/Göttingen 1974.
— La glyptique, in : BRIEND J./HUMBERT J.B. (ed.), Tell Keisan (1971-1976). Une cité phénicienne en Galilée (OBO, Ser. Arch.1), Fribourg-Göttingen-Paris 1980.
— Die Welt der altorientalischen Bildsymbolik. Am Beispiel der Psalmen, Zürich u.a. 1/1972, 3/1980.
— Der Pharao als "Vollkommene Sonne" : ein neuer ägypto-palästinischer Skarabäentyp, in : Egyptological Studies 28 (1982) 405-534.
KEMPINSKI A., Syrien und Palästina (Kanaan) in der letzten Phase der MBIIB-Zeit (1650-1570 v.Chr.) (Aegypten und Altes Testament 4), Wiesbaden 1983.

KENYON K.M., Excavations at Jericho. Vol. 1-4, Jerusalem 1960.1965.1981.1982.

KOZLOFF A.P., A Hittite Priest-King Figure, The Bulletin of the Cleveland Museum of Art 59 (1972) 56-62.

KUEHNE H. (Katalogbearbeitung), Das Rollsiegel in Syrien. Zur Steinschneidekunst in Syrien zwischen 3300 und 330 v.Chr. (Ausstellungskataloge der Universität Tübingen 11), Tübingen 1980.

LAMON R.S./SHIPTON G.M., Megiddo I. Seasons of 1925-34. Strata I-V (OIP 42), Chicago 1939.

LAND DES BAAL (Ausstellungskatalog, hrsg. vom Museum für Vor- und Frühgeschichte Berlin). Syrien-Forum der Völker und Kulturen, Mainz 1982.

LAENDER DER BIBEL (Ausstellungskatalog, hrsg. von The Lands of the Bible Archaeology Foundation). Archäologische Funde aus dem Vorderen Orient, Mainz 1981).

LAPP P.W., The 1968 Excavations at Tell Ta'anek, BASOR 195 (1969) 2-49.

LEIBOVITCH J., Egyptian and Hyksos Art, ErIs 5 (1958) 47-51 und 85*f.

LEPSIUS C.R., Denkmäler aus Aegypten und Aethiopien, 2. Abtlg. Vol. III-IV (Pl. 1-153), Genf 1972 (Reprographie).

LOUD G., Megiddo II. Seasons of 1935-39, 2 vols (OIP 62), Chicago 1948.

MACALISTER R.A.S., The Excavation of Gezer 1902-1905 and 1907-1909, 3 vols, London 1912.

MATOUS L., Inscriptions cunéiformes du Kultepe, Bd.2, Prag 1962.

MATTHIAE P., Ars Syra. Contributi alla storia dell'arte figurativa Siriana nelle età del medio et tardo Bronzo, Roma 1962.

MAXWELL-HYSLOP K.R., Western Asiatic Jewellery C. 3000-612 B.C., London 1971.

MAYER-OPIFICIUS R. siehe OPIFICIUS.

MAZAR A., Review zu D. COLLON : The Seal Impressions from Tell Atchana/Alalakh, IEJ 31 (1981) 135f.

MAZAR B., The Middle Bronze Age in Palestine, IEJ 18 (1968) 65-97.

METZGER M., Königsthron und Gottesthron, o.J. (vom Autor freundlicherweise als Manuskript zur Verfügung gestellt). Wird als AOAT 15 erscheinen.

MOORTGAT A., Vorderasiatische Rollsiegel. Ein Beitrag zur Geschichte der Steinschneidekunst, Berlin 1940.

MOORTGAT-CORRENS U., Neue Anhaltspunkte zur zeitlichen Ordnung syrischer Glyptik, ZA 51 (1955) 88-101.

MORET A., Le rituel du culte divin journalier en Egypte. D'après les Papyrus de Berlin et les textes du temple de Séti Ier à Abydos (Annales du Musée Guimet. Bibliothèque d'Etudes, T.14), Paris 1902.

MURRAY M.A., Some Canaanite Scarabs, PEQ 81 (1949) 92-99.

NEGBI O., Canaanite Gods in Metal, Tel Aviv 1976.

NEWBERRY P.E., Beni Hassan. Part II (Archaeological Survey of Egypt 2), London 1893.

NICCACCI A., Hyksos Scarabs (Studium Biblicum Franciscanum. Museum 2), Jerusalem 1980.

OLMSTEAD A.T., History of Palestine and Syria to the Macedonian Conquest, New York 1931.

OPIFICIUS R., Geschnittene Steine der Antike. Katalog der Münzen und Medaillen AG, Basel 1968.

— Rezension zu D.COLLON, The Seal Impressions from Tell Atchana/Alalakh, UF 10 (1978) 461-463.

— Archäologischer Kommentar zur Statue des Idrimi von Alalah, UF 13 (1981) 279-290.

VON DER OSTEN H.H., Ancient Oriental Seals in the Collection of Mr. E.T. Newell, Chicago 1934.

— Ancient Oriental Seals in the Collection of Mrs. A. Baldwin Brett (OIP 37), Chicago 1936.

— Altorientalische Siegelsteine der Sammlung H. Silvius von Aulock (Studia Ethnographica Upsaliensia XIII), Uppsala 1957.

PARKER B., Cylinder Seals from Palestine, Iraq 11 (1949) 1-42 und 27 Pls.

PETRIE W.M.F., Beth Pelet I (Tell Fara) (British School of Archaeology in Egypt 48), London 1930.

— Rare Scarabs, Ancient Egypt and the East (1933) 37-38.

— u.a., Tell Ajjul (Ancient Gaza) I-V (British School of Archaeology in Egypt 53-56) London 1931.1932.1933.1934.1952.

POPE M.H., The Saltier of Atargatis Reconsidered, in : J.A. SANDERS (ed.), Near Eastern Archaeology in the Twentieth Century. Essays in Honor of Nelson Glueck, Garden City 1970 178-196.

PORADA E., Corpus of Ancient Near Eastern Seals in North American Collections I. The Collection of the Pierpont Morgan Library 2 Bde, Washington 1948.

PRITCHARD J.B., The Ancient Near East in Pictures Relating to the Old Testament. Second Edition with Supplement, Princeton/New Jersey 1969.

DAS ROLLSIEGEL IN SYRIEN, Zur Steinschneidekunst in Syrien zwischen 300 und 330 v.Chr. (hrsg. vom Altorientalischen Seminar der Universität Tübingen), Tübingen 1980.

ROWE A., A Catalogue of Egyptian Scarabs, Scaraboids, Seals and Amulets in the Palestine Archaeological Museum, Le Caire 1936.

EL-SAFADI H., Die Entstehung der syrischen Glyptik und ihre Entwicklung in der Zeit von Zimrilim bis Ammita qumma. Teil I : UF 6 (1975) 313-352 Taf. II-XXV; Teil II : UF 7 (1976) 433-468.

SCHAEFFER C.F.A., Les fouilles de Minet-El-Beida et de Ras Shamra (4e campagne, printemps 1932), Syr.14 (1933) 93-127.

— u.a., Ugaritica I (Bibliothèque archéologique et historique 31), Paris 1939.

SCHAEFFER-FORRER C.F.A., Corpus des Cylindres-Sceaux de Ras Shamra-Ugarit et d'Enkomi-Alasia. Tome I. Avec des contributions de P. Amiet, G. Chenet, M. Mallowan, K.Bittel, E. Porada (Editions Recherche sur les Civilisations), Paris 1983.

VAN SETERS J., The Hyksos. A New Investigation, New Haven/London 2/1967.

SPELEERS L., Catalogue des intailles et empreintes orientales des musées royaux du cinquantenaire, Bruxelles 1917.

– Catalogue des intailles et empreintes orientales des musées royaux d'art et d'histoire, Supplément, Bruxelles 1943.

STARKEY J.L./HARDIN L., Beth-Pelet. Tell Fara Vol.II, London 1932.

STOCK H., Studien zur Geschichte und Archäologie der 13. bis 17. Dynastie Aegyptens. Unter besonderer Berücksichtigung der Skarabäen dieser Zwischenzeit (ÄF 12), Glückstadt-Hamburg-New York 1942.

TUBB J.N., The MBII A Period in Palestine : Its Relationship with Syria and its Origin, Levant 15 (1983) 49-62.

TUFNELL O. u.a., Lachish II-IV (Tell ed-Duweir), London 1940, 1953 und 1958.

– "Hyksos" Scarabs from Canaan, AnSt 6 (1956) 67-73.

– Seals in a Private Collection, Levant 3 (1971) 82-86.

– Seal Impressions from Kahûn Town and Uronarti Fort. A Comparison, JEA 61 (1975) 67-101.

– Graves at Tell el-Yehudiyeh reviewed after a life-time, in : MOOREY R./PARR P. (ed.), Archaeology in the Levant. Essays for K. Kenyon, Warminster 1978 76-102.

– Studies on Scarab Seals. Vol.2 : Scarab Seals and their Contribution to History in the Early Second Millenium B.C. With Contributions by G.T. Martin and W. H. Ward. Part I :Text; Part II : Inventory, Plates, Index; Warminster 1984.

VINCENT R.P., L'année archéologique 1927-28 en Palestine, RB 38 (1929) 92-114.

WARD W.A., Scarabs, Seals and Cylinders from Two Tombs at Amman, ADAJ 11 (1966).

WARD W.H., The Seal Cylinders of Western Asia (Publications of the Carnegie Institution of Washington 100), Washington 1910.

– Cylinders and Other Ancient Oriental Seals in the Library of J. Pierpont Morgan, New York 1909.

WEIN F.J./OPIFICIUS R., 7000 Jahre Byblos, Nürnberg 1965.

WILHELM G., Grundzüge der Geschichte und Kultur der Hurriter (Grundzüge 52), Darmstadt 1982.

WILLIAMS D.P., The Tombs of the Middle Bronze Age II Period from the '500' Cemetery at Tell Fara (south) (Institute of Archaeology. Occasional Publication No 1), London 1977.

WINTER U., Frau und Göttin. Exegetische und ikonographische Studien zum weiblichen Gottesbild im Alten Israel und dessen Umwelt (OBO 53), Fribourg/Göttingen 1983.

YADIN Y. u.a., Hazor III-IV, Jerusalem-Oxford 1961.

VERZEICHNIS DER ABBILDUNGEN

* Die im Verzeichnis mit einem Stern versehenen Abbildungen wurden von H. Keel-Leu für diese Publikation angefertigt.

Abb.32	GOPHNA/SUSSMAN 1969 : 13 Fig.10,11.
Abb.33	GARSTANG 1933 : 21 und Pl.26 T.13,6 und 36f. Fig.11, T.13 = ROWE 1936 : No 154 = TUFNELL 1956 : 68 Fig.1,1 = TUFNELL 1984 : I Frontispiece No 2 = TUFNELL 1984 : II No 2722.
Abb.34	Gefunden in Nachal Tabor beim Kibbuz Gescher in einem Grab. Aufbewahrt im Kibbuz Gescher (No 4). Unveröffentlicht. *
Abb.34a	Skarabäus aus Sichem, gr. Grab. Aufbewahrt im Rockefeller Museum, Jerusalem. Unveröffentlicht.
Abb.34b	WARD 1966 : Pl.19 J 9373.
Abb.35	PETRIE 1930 : Pl.12,120 = TUFNELL 1956 : 68 Fig.1,11 = WILLIAMS 1977 : 90=TUFNELL 1984 : I Frontispiece No 12 = TUFNELL 1984 : II No 2724.
Abb.36	KENYON 1965 : 638 Fig. 298,16 = TUFNELL 1984 : I Frontispiece No 7 = TUFNELL 1984 : II No 2723.
Abb.37	NICCACCI 1980 : No 53.
Abb.38	PETRIE 1952 : Pl.9,37 = TUFNELL 1956 : Fig.1,9=TUFNELL 1984 : I Frontispiece No 6 = TUFNELL 1984 : II No 2726. *
Abb.38a	TUFNELL 1971 : Fig.1, 8 und Pl. 26a=TUFNELL 1984 : II Frontispiece No 10.
Abb.38b	TUFNELL 1984 : I Frontispiece No 15.
Abb.39	PETRIE 1934 : Pl.11,395 = TUFNELL 1956 : Fig.1,8= TUFNELL 1984 : I Frontispiece No 13 = TUFNELL 1984 : No 2727.
Abb.40	PETRIE 1952 : Pl.9,35 = TUFNELL 1956 : Fig.1,3=TUFNELL 1984 : I Frontispiece No 11 = TUFNELL 1984 : II No 2728. *
Abb.41	PETRIE 1932 : Pl.7,74=TUFNELL 1984 : I Frontispiece No 5 = TUFNELL 1984 : II No 2725. *
Abb.41a	Skarabäus aus Hazorea.*
Abb.42	PETRIE 1952 : Pl.9,36 = TUFNELL 1956 : Fig.1,2=TUFNELL 1984 : I Frontispiece No 14 = TUFNELL 1984 : II No 2729. *
Abb.43	WINTER 1983 : Abb. 193 = BARRELET 1955 : 240 Abb. 9.
Abb.44	Sammlung des Biblischen Instituts Freiburg i.Ue. No 118. Unveröffentlicht. *
Abb.45	TUFNELL 1958 : Pl.30,64 und TUFNELL 1956 : Fig.1,5 = TUFNELL 1958 : Pl.31,64=TUFNELL 1984 : I Frontispiece No 8.
Abb.46	WINTER 1983 : Abb.226 = VON DER OSTEN 1934 : No 319 = FRANKFORT 1939 : Taf.44q = BUCHANAN 1981 : No 1204.
Abb.47	PETRIE 1933 : Pl.4,157. *_*
Abb.48	PETRIE 1930 : Pl.22,235.
Abb.49	ROWE 1936 : No 69. *
Abb.50	PETRIE 1933 : Pl.3,35=TUFNELL 1984 : II No 2516 = 2651=2754.
Abb.51	KENYON 1965 : 638 Fig.298,17 = TUFNELL 1984 : II No 2780.
Abb.52	MACALISTER 1912 : II 330 und III Pl.209,34.
Abb.53	Ausschnitt aus WINTER 1983 : Abb.306 (unsere Abb.66).
Abb.53a	TUFNELL 1984 : I Frontispiece No 9.
Abb.54	MACALISTER 1912 : II 315 No 55 und III Pl.202q,7 =TUFNELL 1956 : Fig.1,6=TUFNELL 1984 : I Frontispiece No 3.

Abb.55	Publiziert in der Umschlagseite von Tel Aviv 7 (1980) Heft 3/4. [*]
Abb.56	COLLON 1975 : No 204.
Abb.57	KENYON 1965 : 648 Fig.301,7=TUFNELL 1984 : II No 2688.
Abb.58	PETRIE 1930 : Pl.12,137 = WILLIAMS 1977 Fig.19,3 = TUFNELL 1984 : II No 1719 = 2740.[*]
Abb.59	MACALISTER 1912 : II 330 und III Pl.207,68.
Abb.60	PETRIE, Rare Scarabs (1933) : 37 Fig.6 = STOCK 1942 : 30 Abb.35.
Abb.61	KENYON 1965 : 610 Fig.288,13=TUFNELL 1984 : II No 2779.
Abb.62	LOUD 1948 : Pl.151,138. [*]
Abb.63	Aufbewahrt im Palestine Archaeological Museum (No 43.325). [*]
Abb.64	GUY 1938 : Pl.106,9 = ROWE 1936 : No 94 = OLMSTEAD 1931 : Fig.55. [*]
Abb.65	WINTER 1983 : Abb.306 = AMIET 1973 : 205 Abb.3 = SCHAEFFER-FORRER 1983 : 21 Fig.e.
Abb.66	LOUD 1948 : Pl.149,52 = TUFNELL 1956 : 69 und Fig.1,10 = TUFNELL 1984 : I Frontispiece No 1.[*]
Abb.67	STARKEY/HARDING 1932 : Pl.42,1010=TUFNELL 1984 : II No 2791.
Abb.68	Ehemalige Sammlung Dayan, heute im Institute of Archaeology, Tel Aviv.
Abb. 69	Skarabäus aus Hazorea. Unveröffentlicht [*].
Abb.70	HORNUNG/STAEHELIN 1976 : No 893. [*]
Abb.71	WINTER 1983 : Abb.368 = MATOUŠ 1962 : 59 Abdruck C.
Abb.72	WINTER 1983 : Abb.370 = SPELEERS 1943: 150 No 11448 = SAFADI 1975 : Abb.104.
Abb.73 :	PORADA 1948 : 135 und No 990 = WARD 1909 : No 205. [*]
Abb.74	WINTER 1983 : Abb.371 = DELAPORTE 1910 : No 431 = WARD 1910 : 152 Abb.401.
Abb.75	COLLON 1975 : No 147 = WINTER 1983 : Abb.374.
Abb.76	WINTER 1983 : Abb.375 = MOORTGAT 1940 : No 546.
Abb.77	WINTER 1983 : 378 = EISEN 1940 : No 160 = FORTE 1976 : No 27.
Abb.78	LOUD 1948 : Pl.150,71 = TUFNELL 1956 : Fig.1,12=TUFNELL 1984 : I Frontispiece No 4.
Abb.79	NEWBERRY 1893 : Pl.14 = CHAMPOLLION (1974) : II 347 = LEPSIUS (1972) II/IV Pl.143b.
Abb.80	SCHAEFFER-FORRER 1983 : 22 R.S. 5.175.
Abb.81	PARKER 1949 : Pl.2, No 8. [*]

ORBIS BIBLICUS ET ORIENTALIS

Bd. 19   MASSÉO CALOZ: *Etude sur la LXX origénienne du Psautier.* Les relations entre les leçons des Psaumes du Manuscrit Coislin 44, les Fragments des Hexaples et le texte du Psautier Gallican. 480 pages. 1978.

Bd. 20   RAPHAEL GIVEON: *The Impact of Egypt on Canaan.* Iconographical and Related Studies. 156 Seiten, 73 Abbildungen. 1978.

Bd. 21   DOMINIQUE BARTHÉLEMY: *Etudes d'histoire du texte de l'Ancien Testament.* XXV–419 pages. 1978.

Bd. 22/1   CESLAS SPICQ: *Notes de Lexicographie néo-testamentaire.* Tome I: p. 1–524. 1978. Epuisé.

Bd. 22/2   CESLAS SPICQ: *Notes de Lexicographie néo-testamentaire.* Tome II: p. 525–980. 1978. Epuisé.

Bd. 22/3   CESLAS SPICQ: *Notes de Lexicographie néo-testamentaire.* Supplément. 698 pages. 1982.

Bd. 23   BRIAN M. NOLAN: *The royal Son of God.* The Christology of Matthew 1–2 in the Setting of the Gospel. 282 Seiten. 1979.

Bd. 24   KLAUS KIESOV: *Exodustexte im Jesajabuch.* Literarkritische und motivgeschichtliche Analysen. 221 Seiten. 1979.

Bd. 25/1   MICHAEL LATTKE: *Die Oden Salomos in ihrer Bedeutung für Neues Testament und Gnosis.* Band I. Ausführliche Handschriftenbeschreibung. Edition mit deutscher Parallel-Übersetzung. Hermeneutischer Anhang zur gnostischen Interpretation der Oden Salamos in der Pistis Sophia. XI–237 Seiten. 1979.

Bd. 25/1a   MICHAEL LATTKE: *Die Oden Salomos in ihrer Bedeutung für Neues Testament und Gnosis.* Band Ia. Der syrische Text der Edition in Estrangela Faksimile des griechischen Papyrus Bodmer XI. 68 Seiten. 1980.

Bd. 25/2   MICHAEL LATTKE: *Die Oden Salomos in ihrer Bedeutung für Neues Testament und Gnosis.* Band II. Vollständige Wortkonkordanz zur handschriftlichen, griechischen, koptischen, lateinischen und syrischen Überlieferung der Oden Salomos. Mit einem Faksimile des Kodex N. XVI–201 Seiten. 1979.

Bd. 26   MAX KÜCHLER: *Frühjüdische Weisheitstraditionen.* Zum Fortgang weisheitlichen Denkens im Bereich des frühjüdischen Jahweglaubens. 703 Seiten. 1979.

Bd. 27   JOSEF M. OESCH: *Petucha und Setuma.* Untersuchungen zu einer überlieferten Gliederung im hebräischen Text des Alten Testaments. XX–392–37* Seiten. 1979.

Bd. 28   ERIK HORNUNG / OTHMAR KEEL (Herausgeber): *Studien zu altägyptischen Lebenslehren.* 394 Seiten. 1979.

Bd. 29   HERMANN ALEXANDER SCHLÖGL: *Der Gott Tatenen.* Nach Texten und Bildern des Neuen Reiches. 216 Seiten, 14 Abbildungen. 1980.

Bd. 30   JOHANN JAKOB STAMM: *Beiträge zur Hebräischen und Altorientalischen Namenkunde.* XVI–264 Seiten. 1980.

Bd. 31   HELMUT UTZSCHNEIDER: *Hosea – Prophet vor dem Ende.* Zum Verhältnis von Geschichte und Institution in der alttestamentlichen Prophetie. 260 Seiten. 1980.

Bd. 32   PETER WEIMAR: *Die Berufung des Mose.* Literaturwissenschaftliche Analyse von Exodus 2,23–5,5. 402 Seiten. 1980.

Bd. 33   OTHMAR KEEL: *Das Böcklein in der Milch seiner Mutter und Verwandtes.* Im Lichte eines altorientalischen Bildmotivs. 163 Seiten, 141 Abbildungen. 1980.

Bd. 34 PIERRE AUFFRET: *Hymnes d'Egypte et d'Israël*. Etudes de structures littéraires. 316 pages, 1 illustration. 1981.

Bd. 35 ARIE VAN DER KOOIJ: *Die alten Textzeugen des Jesajabuches*. Ein Beitrag zur Textgeschichte des Alten Testaments. 388 Seiten. 1981.

Bd. 36 CARMEL McCARTHY: *The Tiqqune Sopherim and Other Theological Corrections in the Masoretic Text of the Old Testament*. 280 Seiten. 1981.

Bd. 37 BARBARA L. BEGELSBACHER-FISCHER: *Untersuchungen zur Götterwelt des Alten Reiches im Spiegel der Privatgräber der IV. und V. Dynastie*. 336 Seiten. 1981.

Bd. 38 MÉLANGES DOMINIQUE BARTHÉLEMY. Etudes bibliques offertes à l'occasion de son 60ᵉ anniversaire. Edités par Pierre Casetti, Othmar Keel et Adrian Schenker. 724 pages. 31 illustrations. 1981.

Bd. 39 ANDRÉ LEMAIRE: *Les écoles et la formation de la Bible dans l'ancien Israël*. 142 pages. 14 illustrations. 1981.

Bd. 40 JOSEPH HENNINGER: *Arabica Sacra*. Aufsätze zur Religionsgeschichte Arabiens und seiner Randgebiete. Contributions à l'histoire religieuse de l'Arabie et de ses régions limitrophes. 347 Seiten. 1981.

Bd. 41 DANIEL VON ALLMEN: *La famille de Dieu*. La symbolique familiale dans le paulinisme. LXVII–330 pages, 27 planches. 1981.

Bd. 42 ADRIAN SCHENKER: *Der Mächtige im Schmelzofen des Mitleids*. Eine Interpretation von 2 Sam 24. 92 Seiten. 1982.

Bd. 43 PAUL DESELAERS: *Das Buch Tobit*. Studien zu seiner Entstehung, Komposition und Theologie. 532 Seiten + Übersetzung 16 Seiten. 1982.

Bd. 44 PIERRE CASETTI: *Gibt es ein Leben vor dem Tod?* Eine Auslegung von Psalm 49. 315 Seiten. 1982.

Bd. 45 FRANK-LOTHAR HOSSFELD: *Der Dekalog*. Seine späten Fassungen, die originale Komposition und seine Vorstufen. 308 Seiten. 1982.

Bd. 46 ERIK HORNUNG: *Der ägyptische Mythos von der Himmelskuh*. Eine Ätiologie des Unvollkommenen. Unter Mitarbeit von Andreas Brodbeck, Hermann Schlögl und Elisabeth Staehelin und mit einem Beitrag von Gerhard Fecht. XII–129 Seiten, 10 Abbildungen. 1982.

Bd. 47 PIERRE CHERIX: *Le Concept de Notre Grande Puissance (CG VI, 4)*. Texte, remarques philologiques, traduction et notes. XIV–95 pages. 1982.

Bd. 48 JAN ASSMANN / WALTER BURKERT / FRITZ STOLZ: *Funktionen und Leistungen des Mythos*. Drei altorientalische Beispiele. 118 Seiten. 17 Abbildungen. 1982.

Bd. 49 PIERRE AUFFRET: *La sagesse a bâti sa maison*. Etudes de structures littéraires dans l'Ancien Testament et spécialement dans les psaumes. 580 pages. 1982.

Bd. 50/1 DOMINIQUE BARTHÉLEMY: *Critique textuelle de l'Ancien Testament*. 1. Josué, Juges, Ruth, Samuel, Rois, Chroniques, Esdras, Néhémie, Esther. Rapport final du Comité pour l'analyse textuelle de l'Ancien Testament hébreu institué par l'Alliance Biblique Universelle, établi en coopération avec Alexander R. Hulst †, Norbert Lohfink, William D. McHardy, H. Peter Rüger, coéditeur, James A. Sanders, coéditeur. 812 Seiten. 1982.

Bd. 51 JAN ASSMANN: *Re und Amun*. Die Krise des polytheistischen Weltbilds im Ägypten der 18.–20. Dynastie. XII–309 Seiten. 1983.

Bd. 52 MIRIAM LICHTHEIM: *Late Egyptian Wisdom Literature in the International Context.* A Study of Demotic Instructions. X – 240 Seiten. 1983.

Bd. 53 URS WINTER: *Frau und Göttin.* Exegetische und ikonographische Studien zum weiblichen Gottesbild im Alten Israel und in dessen Umwelt. XVIII – 928 Seiten, 520 Abbildungen. 1983.

Bd. 54 PAUL MAIBERGER: *Topographische und historische Untersuchungen zum Sinaiproblem.* Worauf beruht die Identifizierung des Ǧabal Mūsā mit dem Sinai? 189 Seiten, 13 Tafeln. 1984.

Bd. 55 PETER FREI / KLAUS KOCH: *Reichsidee und Reichsorganisation im Perserreich.* 119 Seiten, 17 Abbildungen. 1984

Bd. 56 HANS-PETER MÜLLER: *Vergleich und Metapher im Hohenlied.* 59 Seiten. 1984.

Bd. 57 STEPHEN PISANO: *Additions or Omissions in the Books of Samuel.* The Significant Pluses and Minuses in the Massoretic, LXX and Qumran Texts. XIV–295 Seiten. 1984.

Bd. 58 ODO CAMPONOVO: *Königtum, Königsherrschaft und Reich Gottes in den Frühjüdischen Schriften.* XVI–492 Seiten. 1984.

Bd. 59 JAMES KARL HOFFMEIER: *Sacred in the Vocabulary of Ancient Egypt.* The Term *DSR*, with Special Reference to Dynasties I–XX. XXIV–281 Seiten, 24 Figures. 1985.

Bd. 60 CHRISTIAN HERRMANN: *Formen für ägyptische Fayencen.* Katalog der Sammlung des Biblischen Instituts der Universität Freiburg Schweiz und einer Privatsammlung. XXVIII-199 Seiten. 1985.

Bd. 61 HELMUT ENGEL: *Die Susanna-Erzählung.* Einleitung, Übersetzung und Kommentar zum Septuaginta-Text und zur Theodition-Bearbeitung. 205 Seiten + Anhang 11 Seiten. 1985.

Bd. 62 ERNST KUTSCH: *Die chronologischen Daten des Ezechielbuches.* 82 Seiten. 1985.

Bd. 63 MANFRED HUTTER: *Altorientalische Vorstellungen von der Unterwelt.* Literar- und religionsgeschichtliche Überlegungen zu «Nergal und Ereškigal». VIII–187 Seiten. 1985.

Bd. 64 HELGA WEIPPERT / KLAUS SEYBOLD / MANFRED WEIPPERT: *Beiträge zur prophetischen Bildsprache in Israel und Assyrien.* IX–93 Seiten. 1985.

Bd. 65 ABDEL-AZIZ FAHMY SADEK: *Contribution à l'étude de l'Amdouat.* Les variantes tardives du Livre de l'Amdouat dans les papyrus du Musée du Caire. XVI–400 Seiten, 175 Abbildungen. 1985.

Bd. 66 HANS-PETER STÄHLI: *Solare Elemente im Jahweglauben des Alten Testamentes.* X–60 Seiten. 1985.

Bd. 67 OTHMAR KEEL / SILVIA SCHROER: *Studien zu den Stempelsiegeln aus Palästina / Israel.* Band I. 115 Seiten. 103 Abbildungen. 1985.